Hermann Kesten

REVOLUTIONÄRE MIT GEDULD

HERMANN KESTEN

Revolutionäre
mit
Geduld

VERLAG R. S. SCHULZ

© 1973 by Verlag R. S. Schulz
8136 Percha am Starnberger See, Berger Straße 8 bis 10
8136 Kempfenhausen am Starnberger See, Seehang 4
Nachdruck, auch auszugsweise, nur mit Genehmigung des Verlages
Umschlagentwurf: W. A. Angerer
ISBN 3-7962-0032-x

Inhaltsübersicht

Odysseus, oder Die vergebliche Heimkehr (1971) .   15

Albrecht Dürer, der Autor (1971)   43

Johannes Kepler,
    der Gesetzgeber des Universums (1971)   75

Denis Diderot,
    oder Die Rechnung mit der Nachwelt (1970) . . 111

Lorenzo Da Ponte,
    oder Das Glück, für Mozart zu schreiben (1969) . 139

Heine lebt! Heinrich Heine,
    deutscher Dichter und Jude (1972) 189

Ludwig Feuerbach,
    der Advokat des Menschen (1972) 213

Heinrich Mann und Thomas Mann,
    par nobile fratrum (1972) 259

Ist jede Revolution ihren Preis wert? Hat es je eine unblutige Revolution gegeben? Und besser tot als Sklave? Oder besser um jeden Preis leben, sogar lieber Sklave als tot?

Trotz der unbegreiflichen Geduld der meisten Menschen gibt es wahrlich Situationen, die unerträglich werden. Das Risiko des Todes erscheint zuweilen geringer, als die Ungerechtigkeit, die man erdulden soll, als der Rigorismus der Tyrannei, und der Übermut der Ämter, als die menschenverachtenden Ansprüche falscher Autoritäten und pervertierter Ideologien. Endlich stehen Individuen, Parteien, Bünde, ja ganze Völker auf und machen Revolution.

Moralisch unerträglich wird freilich die Zumutung gewisser Revolutionäre an Unbeteiligte, den Blutpreis zu zahlen.

Fast immer kommt der Moment, da Pseudoheilige und Märtyrer aus eigener Initiative, unter Berufung auf das Opfer, das sie bringen oder zu bringen versprechen, unerbittlich, ja unersättlich das Opfer des Lebens andrer fordern.

Wo es erst nur einen Märtyrer gab, der sich freiwillig aufgab, oder aus Überzeugung sich martern und morden ließ, werden zahlreiche bis unzählige Unbeteiligte gewaltsam zu Opfern gemacht, Unschuldige gegen ihren Willen aus ideologischen Gründen oder Vorwänden ausgebeutet, um ihre Freiheit, um ihr Glück, um ihr Leben geprellt.

Einer der greulichsten Fehlschlüsse festgesessener, zu Institutionen erstarrter Revolutionäre ist die Opferung der lebenden, der präsenten Generation zugunsten kommender Generationen, die zu ihrer Zeit wiederum aufgefordert werden zugunsten späterhin zukünftiger Generationen.

Die meisten Revolutionen entstanden, weil eine neue Mehrheitsgruppe zur intellektuellen oder wirtschaftlichen Bedeutung und zu steigendem Selbstbewußtsein kam, indes die herrschende Gruppe oder Klasse weder die Kraft noch den Willen zu Reformen zeigte. Als ich ein Kind war, und die Geschichten der Revolutionen las, stand ich stets auf Seiten der Revolutionäre, von Spartacus und Brutus bis Benjamin Franklin und George Washington, von Ibiscus aus Syrakus und Bar Kochba bis Oliver Cromwell, Danton und Robespierre, Saint Just und Marat, von Heinrich Heine, Karl Marx und Engels bis Karl Liebknecht und Rosa Luxemburg, Kurt Eisner und Ernst Toller, von Bakunin und den Dekabristen bis Lenin und Trotzki, ja um weiter zurückzugehn, von Moses und Jesus bis Jesaias und Jeremias.

Nicht viel später sah ich 1919 in Nürnberg, wo ich aufgewachsen bin, wie schnell Menschen bei kleinen Straßen-Unruhen und halbherzigen Volks-Aufständen umfallen, wie im Handumdrehn Beteiligte und Unbeteiligte mitten aus dem Leben gerissen werden, und in grotesk verzerrten Positionen auf dem Pflaster liegen bleiben, in Regenpfützen und Blutpudeln, mit einem unbeschreiblich leeren Ausdruck in den verformten Gesichtern, mit definitiv toten Augen, sie sind abscheulich tot, und lebten eben noch, sie sind nur mitmarschiert, oder standen nur am Straßenrand, müßige Zuschauer, die es erwischt hat, die ersten Opfer der Revolution, aus der heroischen Zeit.

Sind sie mitgelaufen, weil sie Hunger hatten, oder weil sie es bitter empfanden, daß ihnen Unrecht geschah, und weil sie glaubten, es stehe ihnen mehr und besseres zu, weil sie fürchteten, ihnen könne nichts Ärgeres geschehn? Aber rechneten sie mit ihrem abrupten und sinnlosen Ende? Ahnten sie, daß irgendwelche zerstreuten Kugeln sie umwerfen würden, Kugeln der Polizisten, oder der Kameraden aus ihren Reihen, so oder so Kugeln, von armen Leuten auf arme Leute geschossen?

Bald begriff ich indes, daß mit der Guillotine, mit dem Richtschwert, mit Kreuz und Galgen und dem Peloton keine Gerechtigkeit geschaffen, keine Humanität gefördert, keine Revolution durchgesetzt wurde, sondern immer die Samen neuer Tyrannei gesät, im Namen, aber nicht im Sinn der Revolution, und die Samen neuer Mißbräuche, neuer Unterdrückung, neuer unberechtigter Herrschaft, neuer Standesvorurteile, neuer Klassensuprematie, neuer sozialer Ungerechtigkeit und Feindschaft.

Ich hörte auf, ein sympathisierender Parteigänger aller Revolutionen zu sein, obgleich ich nie aufhörte, auf Seiten der Unterdrückten zu stehn, auf Seiten der Schwachen, der Armen, der benachteiligten Minderheiten und

9

der ausgeplünderten Mehrheit, sowie der geopferten Individuen samt der geopferten Völker.

Ich habe nie die Gelegenheit gesucht oder gehabt, andere Menschen auszunutzen, oder von Regierungen andere Vorteile zu haben, als es die allgemeinen Vorteile fürs ganze Volk sind. Freilich habe ich auch weiterhin Kritik geübt, an den herrschenden Zuständen, an präpotenten Regierungen oder Parlamenten, an überholten oder falschen Gesetzen und Sitten. Ich fürchtete keine Veränderung, und fand nicht jede Veränderung jedenfalls angebracht. Wo ich es nötig fand, forderte ich Neuerungen, und sogar Umsturz, aber ohne Blutopfer.

Zudem begann ich, mich umzusehn, ob es nicht Revolutionäre mit Geduld gab, wie etwa Ludwig Feuerbach einer war, der sogar hundert Jahre zu warten bereit war, im Interesse der Menschheit und der Humanität, oder wie Heinrich Heine einer war, wie alle diese es waren, deren Porträts ich in diesem Buch versammelt habe, keineswegs zufällig also, sondern mit genauem Bedacht.

In einer usuellen Geschichte der Revolutionen — wenn es sie überhaupt gibt, und wenn es möglich ist, die Geschichte solch unüblicher Ereignisse auf übliche Weise zu erzählen, wird man vielleicht einige meiner neun Figuren finden, vor allem den Ludwig Feuerbach, der den lieben Gott abgesetzt hat, in einer wahren und unblutigen Revolution, oder den Denis Diderot, den enzyklopädischen Schrittmacher der Großen Französischen Revolution, vielleicht noch den Kepler, den Gesetzgeber des Universums, der mit des Copernicus Hilfe den Menschen und die Erde entthront hat.

Schon Heinrich Heine und Heinrich Mann wird man

vielleicht nur in Nebenkapiteln oder gar Fußnoten finden, obgleich der Heine das Mittelalter beendet, die Romantik persifliert, und Könige entblößt, Adel und Kirche abgesetzt hat, wie Heinrich Mann die Großbourgeoisie, ja das gesamte Bürgertum absurd erscheinen ließ.

Aber Dürer, wird man fragen, und gar Da Ponte? Sind sie Revolutionäre? Und Wortführer welcher Revolution?

Aber war der Autor Albrecht Dürer nicht der größte Nürnberger Neuerer, war er nicht ein Revolutionär der Kunsttheorie, kein Entdecker neuer revolutionärer Medien, ein Volksaufwiegler durch Graphik, durch Kupferstiche und Zeichnungen?

Und war nicht der Lorenzo Da Ponte, dieser Autor einiger der großartigsten Operntexte, dieser literarische Kammerdiener und Sprachzauberer für eines der größten musikalischen Genies, für Mozart, ein Unruhestifter und Umstürzer, dieser Da Ponte, der noch im hohen Alter in Amerika eine kulturelle Revolution gefördert hat?

Bleiben Thomas Mann und Odysseus, die doch wie prinzipielle Gegen-Figuren der Revolution erscheinen. Ist das wirklich so?

Thomas Mann war tatsächlich häufig eine Gegenfigur zu dem aufsässigen älteren Bruder Heinrich Mann. Thomas Mann bezeichnete sich ja selber, eben da er sich gegen ganz Deutschland stellte, und an Hitler maß, „eher zum Repräsentanten geboren".

Aber gleichzeitig eiferte er dem älteren Bruder Heinrich nach, wetteiferte mit ihm und wurde im Eifer und Übereifer eines Gegenspielers zum Mitspieler, zum Gegner des Dritten Reichs, im Exil zur repräsentativen Gegenfigur des Dritten Reichs, also zum Aufsässigen, intellektuell und politisch Aufständigen, zum stillen Revolutionär mit Geduld. Ebenso wurde der Traditionalist des deutschen Romans, der Epiker, der sich auf alle Formen des Romans im 19. Jahrhundert gestützt hat, wettlaufend mit dem Bruder, wie mit Gide und Joyce und Proust, zum epischen Neuerer, wenigstens empfand er sich so.

Odysseus freilich, polytlas, der listenreiche Vieldulder, und Erfinder des Reiseromans, einer der ersten Weltreisenden, der auf ungeheuern Umwegen die Heimat suchte, der einen kleinen Weltkrieg, den trojanischen Krieg, statt mit Waffen, mit einer Skulptur gewann, mit seinem trojanischen Pferd, mit einem Trick, ein Neuerer also im Kriegswesen, in der Literatur, im Reisefeuilleton und im Heimatroman, Odysseus war das Vorbild einer ganzen weltumfassenden Gruppe absurder Revolutionäre, er zog in einen Krieg, mit einer ganzen Generation seines Reiches, und indem er sie erst im Krieg dezimiert hat, und auf dem Heimweg von nichts anderem als ihrer Rettung sprach, rettete er am Ende nur sich selber, opferte, um sich zuhause zu behaupten, eine neue Generation seines Reiches, schlief eine Nacht mit seiner vielwebenden Gattin, und ließ sie, und Ithaka, den Sohn und sein Volk im Stich, um in neuen fremden Ländern neue Frauen zu finden, neue Söhne zu machen, neue Reiche und Länder zu prellen, ein Revolutionär, der alles verspricht und nichts gehalten hat.

Die Revolutionäre — ich kann noch immer nicht vor ihren verführerischen Sirenengesängen mir die Ohren mit Wachs verstopfen, wie Odysseus seinen Gefährten befohlen hat, die dennoch zugrunde gegangen sind.

Odysseus ließ sich anbinden, um ihrem tödlichen Gesang lauschen zu können. Ich brauche mich nicht anbinden zu lassen, ich lausche immer noch ihren Sirenengesängen; denn sie versprechen immer noch alles, was das Leben zur Lust macht: Die Freiheit! Die Gleichheit! Die Brüderlichkeit! Die Liebe des Nächsten und die Eigenliebe! Die Gerechtigkeit! Ein Paradies auf Erden. Das Neue, das Bessere, das Himmelreich, das Ende der Not, des Hungers, der Entbehrung, der Verzweiflung, der Sklaverei, das Ende von Krankheit und Tod.

Ich lausche ihnen wie einer Sphärenmusik, mit Hoffnung, Liebe und Glauben, mit Skepsis und Begeisterung.

Aber ich bin nicht bereit, ihren unmenschlichen Preis zu bezahlen, auch nicht das Leben eines einzigen Menschen als Opfer für das Himmelreich auf Erden für Millionen, für Milliarden Menschen.

Man hilft nicht der Menschheit durch Menschenopfer.

Odysseus
oder
Die vergebliche Heimkehr

*) Der Mann aus Ithaka erzählte diese
Wundergeschichten ganz allein, ohne Zeugen.
Juvenal, XV. Satire.

Wann, fragte ich ihn, hast du die Wahrheit gesagt?
Schon duzte ich ihn. Mit Toten ist man schnell intim. Er
saß mir gegenüber im Café auf der Piazza Navona in
Rom.

Links und rechts von uns saßen Liebespaare, die sich
küßten und Fruchteis aßen, und Studenten, welche einander im Fluge die ganze Welt erklärten, und Fruchteis
aßen.

Einige beobachteten mich mißtrauisch. Sie hörten mich
sprechen, und sahn keinen Partner. Denn nicht allen
sichtbar erscheinen die Götter. Ich redete zu dem Niemand, der schon den Polyphem geäfft hat.

Ich bewundere dich, Odysseus, wie du es verdienst. Du
bist ein Held in der Ilias, und der Held der Odyssee.
Zeus hieß dich den weisesten der Menschen. Pallas Athene
verglich sich mit dir. „Wir kennen beide die Kunst: Du
bist von allen Menschen der erste an Verstand und Reden,
und ich bin unter den Göttern hochgepriesen an Rat und
Weisheit." Der König der Phäaken erkannte, „in deinen
Worten ist Anmut und edle Gesinnung." Du erwiderst:
„Ich bin Odysseus, Laertes Sohn, durch mancherlei Klug-

17

heit unter den Menschen bekannt. Und mein Ruhm erreicht den Himmel."

Die Welt kennt deine Verdienste. Durch deine List ist Troja gefallen, im zehnten Jahr, durch dein trojanisches Pferd, und nicht durch die Stärke des Achilleus, oder der beiden Ajas, oder des abscheulichen Diomedes, der sogar die Götter, welche den Trojanern halfen, in offener Feldschlacht verwundet hat, den wie zehntausend brüllenden Ares und die unwiderstehliche Aphrodite, die mit verletzter Hand weinend zu ihrem Vater Zeus fliehen mußte. Und nicht durch die Weisheit Nestors oder die Künste der beiden durch untreue Gattinnen berühmten Brüder Agamemnon und Menelaus fielen die Mauern Trojas, ja nicht einmal durch die Possen des Thersites, den Achilleus umgebracht hat, weil Thersites den Achilleus auslachte, der die Amazonenkönigin Penthesilea erschlagen und in die Tote sich verliebt hat. Du, Odysseus, bist der wahre Sieger des trojanischen Krieges.

Schon zuvor hast du mit Diomedes das Palladion, die hölzerne Statue der Athene, das Schutzbild Trojas geraubt. Du hast den Achilleus, der in Weiberkleidern mit Mädchen spielte, um nicht in den Krieg gegen Troja zu ziehen und jung zu sterben, durch deine List entdeckt, und er zog gegen Troja. Wann immer die Griechen einen beredten Gesandten brauchten, schickten sie dich; nach Troja, um Helena zurückzubringen; zum Priester Apolls, um ihm seine rosige Tochter Chryseis zurückzubringen; zum Achilleus, um ihm seine geraubte Briseis zurückzubringen. Du hast den Thersites geschlagen, der fast so klug war wie du, aber die lästige Gewohnheit hatte, die komische Seite aller Hellenen zu sehen, und zu sagen, was er sah. Im Wettkampf mit Ajas erhältst du die Rüstung des Achilleus, worauf der große Ajas in Raserei fiel und ins eigene Schwert stürzte.

Welcher Mensch war je so ausdauernd wie du? Wer war so lebensgierig, wahrhaftig um jeden Preis! Denn gerade du, den sie den weisesten aller Menschen hießen, warst der elendeste aller Menschen. Sind das die Folgen der Weisheit? Polytlas Odysseus! Du sagst: Ich irre von Leiden zu Leiden. Du könntest ein ganzes Jahr lang, sagst du, von deinen Leiden erzählen. Noch deine tote Mutter heißt dich: Unglücklichster aller die leben. Menschen und Götter verfolgen dich, und Tote im Hades zürnen dir. Der tote Ajas, mit dem du am Rande des Hades dich versöhnen willst, wendet sich schweigend von dir ab. Kirke sagt von dir und deinen Gefährten: Zweimal schmeckt ihr den Tod, den andre nur einmal empfinden. Um heimzukehren, mußt du erst zu den Kimmeriern fahren und die Seele des toten Thebaners, des blinden Propheten Teiresias beschwören, der als Toter seine Vernunft behielt. Was erfährt, der sich mit Toten berät? „Wirst du doch spät, unglücklich und ohne Gefährten zur Heimat kommen, auf fremdem Schiff, und Elend finden im Hause, übermütige Männer, die deine Habe verschlingen und dein göttlich Weib mit Brautgeschenken umwerben ...‟

Unglücklich bist du, und bringst Unglück, den Freunden wie den Feinden. So viele gehen neben dir und durch dich unter, nur du überlebst. Du sagst: Mein Herz ist längst zum Leiden gehärtet. Auch gegen das Mitleiden?

Am Ende der Odyssee sagt der Vater des toten Freiers Antinoos: „Freunde, wahrlich ein Großes bereitete jener den Griechen! Erst entführt er in Schiffen so viel' und tapfere Männer und verliert die gerüsteten Schiffe und verlor die Gefährten; und nun kommt er und tötet die Edelsten unseres Reiches!"

Du brachtest dem ganzen Volk Unglück. Was für ein General, der allein aus dem Krieg heimkommt, und seine ganze Armee bis auf den letzten Mann verloren hat. Du kamst heim, mit Schätzen beladen. Und begannst, die junge Generation von Ithaka auszurotten.

Sogar deine Tugenden geraten zum Unglück. Dein Vetter Eurylochos spricht höhnisch vom kühnen Odysseus, durch dessen Torheit auch jene das Leben verloren, nämlich die sechs Gefährten, die Polyphem roh oder gebraten verschlungen hat.

Wie wunderbar ist deine unersättliche Neugier, als wärest du nicht der Held von Epen, sondern der Epiker selber. Aber aus Neugier mußtest du in die Höhle des Polyphem mit zwölf Gefährten eindringen, obgleich die Freunde dich warnten. Äolos gab dir den Schlauch mit den Winden, du sagtest den Gefährten nichts davon, und als sie schon von ferne die Heimat sahen, schliefst du. Einer klagt dich an, bevor sie den Schlauch öffnen, weil sie Gold darin vermuten: „Wunderbar! Dieser Mann gewinnt die Achtung und Liebe aller Menschen, wohin er auch kommt. Aus der troischen Beute, wie manches unschätzbare Kleinod bringt er mit. Und wir, die wir alle Gefahren geteilt, kehren am Ende doch mit leeren Händen zur Heimat."

Was für ein König warst du also?

Als es galt, die Rinder des Helios zu schonen, und deine Leute hungerten, gingst du auf der Insel umher, ferne, und sie schlachteten die gezählten Lieblingstiere, und mußten umkommen, nur du entkamst. Du wolltest die Lästrygonen erkunden, darüber verlorst du elf von deinen zwölf Schiffen, mitsamt der Besatzung. Deine Kirke prophezeite, daß Szylla, das unsterbliche Scheusal, sechs deiner Gefährten verschlingen würde. Du verschwiegst es ihnen. Sie wurden verschlungen. Nach jedem neuen Verlust von Freunden heißt es: Froh der bestandenen Gefahr, doch ohne die lieben Gefährten . . .

Selbst deinen Wohltätern brachtest du Unglück. Die Phäaken, die dich wie einen Gott empfangen hatten, und auf ihrem Schiff nach Ithaka fuhren, verloren auf der Heimfahrt samt den Schiffern das Schiff, das der zornige Poseidon, den deine Rettung erzürnte, mit flacher Hand schlug, daß es im Meer versteinerte, obendrein drohte er, deinetwegen das ganze Phäakien mit einer Riesenmauer vom Meere abzuschneiden.

Dich liebten sogar Göttinnen. Du gefielst. Aber brachtest du auch nur einer Glück? Penelope klagt: Die Götter gaben uns Elend. Denn zu groß war das Glück, daß wir beisammen in Eintracht unserer Jugend genössen und sanft dem Alter uns nahten.

Du hast sie geheiratet, und als sie den Telemachos noch an der Brust hielt, bist du wegen der schönen Helena in den Krieg gezogen. Es ist wahr, du sträubtest dich, in den Krieg zu ziehen, du stelltest dich wahnsinnig, und gingst erst, als Palamedes, der das Würfelspiel, die Buchstabenschrift und die Zahlen erfunden hat, deine Verstellung aufdeckte, du hast dafür, wie man erzählt, den Palamedes später getötet oder seine Hinrichtung veranlaßt.

Arme Penelope! Zwanzig Jahre blieb sie dir treu und

wartete auf dich. Sie widerstand so vielen, so jungen Freiern. Sie saß am Webstuhl und webte, und trennte nachts das Gewebe wieder auf. Endlich kamst du zurück, ein Bettler scheinbar, gealtert, mit einer Glatze, und als sie dich erkannt hat, sagtest du ihr: Armes Weib, warum verlangst du, daß ich dir dieses sage? Ich will es dir denn verkünden und nichts dir verhehlen. Freilich wird sich darob dein Herz nicht freuen; ich selber freue mich nicht. Und du sagst ihr, daß du auf Geheiß des Sehers aufs Neue in die Welt gehn mußt.

Dann nimmst du ein Bad und gehst mit deiner Frau ins Bett. Ihr „bestieget freudig euer altes Lager, der keuschen Liebe geheiligt. Nachdem ihr der Fülle der seligen Liebe gekostet, wachtet ihr noch lang, euer Herz mit vielen Gesprächen erfreuend." Sie erzählt dir kurz, was sie im Hause erduldet, vom Schwarm der bösen Freier. Du erzählst ihr alle deine zwölf Abenteuer, die halbe Odyssee, mit den Kikonen, den Lotophagen, den Lästrygonen, mit Polyphem und Äolos und Kirke, mit der Fahrt zum Hades, wo du die toten Freunde sprachst, und die tote Mutter, von Szylla und Charybdis, und von den Sonnenrindern, und von der Insel der Ogygia und Kalypso und vom Land der Phäaken und deiner Heimkehr.

Am Morgen teiltest du der verständigen Gattin mit, daß du vor der Rache der Familien aller erschlagenen Freier aufs Landgut deines Vaters Laertes fliehen mußt, und überließest ihr die Sorge ums Haus und überließest sie jeder Gefahr.

Boccaccio schrieb: Circe hat den Ulysses nicht mit ihren Zauberkünsten, die Meerweiber haben ihn nicht mit ihrem Sirenengesang erschüttern können.

Zwei deiner Freundinnen, die Göttin Kalypso, bevor sie mit dir ins Bett geht, und Pallas Athene, die dir in vielen Gestalten erscheint, als Jüngling, als Mädchen, als dein Freund Mentor, als Vogel, heißen dich einen überlistigen Schalk, voll unergründlicher Ränke, und Athene sagt: „Also gebrauchst du selbst noch im Vaterland Verstellung und erdichtete Worte, die du als Knabe schon liebtest."

Du rühmst dich noch deiner Untreue vor den Phäaken. „Sieh, mich hielt bei sich die hehre Göttin Kalypso in der gewölbten Grotte und wünschte mich zum Gemahle; ebenso hielt mich die ääische Zauberin Kirke trüglich in ihrem Palast und wünschte mich zum Gemahl, aber keiner gelang es." Eine versprach dir sogar Unsterblichkeit und ewige Jugend. Umsonst. Vielleicht warst du von allen Beständigen der Unbeständigste. Unterwegs sehntest du dich zwar, auch nur den Rauch von heimischen Hügeln steigen zu sehn, und dann zu sterben. Aber kaum kamst du heim, schufst du rundum neues Unglück und ranntest in die Welt.

Es ist wahr, du hast immer gut von deiner Frau geredet und Penelope gerühmt, im Gegensatz zu Agamemnon, der in der Volksversammlung erklärte, daß er sein Beutemädchen Chryseis höher als Klytämnestra, seiner Jugend Vermählte, achte! Aber du hattest keine Beutemädchen? Mehr als sieben Jahre lebtest du mit der Göttin Kalypso, viel länger als mit deiner Penelope. Auch mit Kirke bestiegst du jede Nacht das Lager, ein ganzes Jahr lang, und erst deine heimwehkranken Gefährten mußten dich erinnern, an die Heimkehr zu denken. Wolltest du wirklich heimkehren?

Sogar die Göttin Pallas Athene, die dich wie eine Schwester liebte, beklagte sich einmal, du habest sie nicht erkannt. „Aber du kanntest Pallas Athene nicht, Zeus' Tochter, welche beständig unter allen Gefahren dir beistand und dich beschirmte und dir auch die Liebe von allen Phäaken verschaffte."

Auch Nausikaa, da sie an der hohen Pforte des schöngewölbten Saales stand und dich wundernd ansah, hielt es für notwendig, es dir ausdrücklich mit auf den Weg zu geben: „Lebe wohl, o Fremdling, und bleib' in der Heimat auch meiner eingedenk, da du mir zuerst dein Leben verdanktest!"

Du gefällst den Weibern, Odysseus, sogar der Meernixe Ino, die wie ein Wasserhuhn auffliegt, und dir ihren Schleier leiht, der dich ans Ufer bringt.

Was für kuriose Liebesgeschichten! Erst hat Kirke deine Gefährten in Schweine verwandelt, dann wollte sie dich als Schwein in den Koben sperren. Auf den Rat des Hermes, der dir die Pflanze Moly, das Gegengift gegen Kirkes Zauberkünste gepflückt hat, reißest du dein geschliffenes Schwert schnell von der Hüfte und springst auf die Zauberin los und drohst, sie zu erwürgen. Da rief sie dich, wie Hermes vorhergesagt, in der Angst zu ihrem Lager. Und Hermes riet dir: Nun weigre dich nicht und besteige das Lager der Göttin.

Kalypso beklagte sich über dich und die Götter. „Grausam seid ihr vor allen und neidischen Herzens, ihr Götter. Jeder Göttin verargt ihr die öffentliche Vermählung mit dem sterblichen Mann, den sie zum Gemahl erkoren." Vor Hermes, der ihr den Befehl der Götter bringt, den Odysseus zu entlassen, klagt sie: „Freundlich nahm ich ihn

24

auf und reichte ihm Nahrung und sagte ihm Unsterblichkeit zu und nimmer verblühende Jugend."

Homer sagte: „Dieser saß am Gestade des Meers und weinte beständig. Ach, in Tränen verrann sein süßes Leben, voll Sehnsucht heimzukehren; denn lange nicht mehr gefiel ihm die Nymphe. Sondern er ruhte des Nachts in ihrer gewölbten Grotte ohne Liebe bei ihr; ihn zwang die liebende Göttin."

Lessing schrieb am 18. Dezember 1756 aus Leipzig an Moses Mendelssohn: „Der Heldendichter läßt seinen Helden unglücklich sein, um seine Vollkommenheiten ans Licht zu setzen."

Welches sind deine Vollkommenheiten, edler Odysseus?

Wenige Helden weinten so viel und ausdauernd wie du. Du sitzest auf dem Bett deiner Geliebten, der Göttin Kalypso, und weinst. Du sitzest am Meer und weinst. Da saßest du gewöhnlich. Vor der Schlacht, nach der Schlacht, inmitten deiner berühmten zwölf Abenteuer, im trojanischen Krieg und nach der Heimkehr auf Ithaka, in den Armen deines Vaters Laertes, ein ganzes Epos hindurch jammerst und weinst du, und hast Gründe genug, und hast Mitleid mit deinem Schicksal und mit dir selber, mehr als mit irgend einem andern, und prahlst mit Unglück!

Bist du ein Hiob aus Hellas? Du klagst die Menschen und die Götter an. Zuweilen am Rande des Erträglichen erwägst du den Selbstmord, und sagst: „Dulde, mein Herz. Du hast noch härtere Kränkung erduldet!"

Du sprichst wie Epikur, der zu Menoikos gesagt hat: „Bei allem ist die Vernunft das erste und sie ist das wertvollste Gut!" Aber lebtest du vernünftig? Und doch hast du die reine Existenz, das Dasein unter Menschen, allem vorgezogen, sogar der Unsterblichkeit mit einer Göttin, ein daseinswütender Held, der lebensgierigste Mensch in der Weltliteratur?

Plato wurde zu spät für sein Vaterland geboren, sagte Plato. Und du? Kamst du zu früh auf diese Welt, zu spät? An den Tyrannen Dionyos II. von Syrakus schrieb Plato, tiefe Einsicht und große Macht sollten sich verbünden. Warst du beides, ein Tyrann und ein Philosoph?

Zuweilen äußerst du humane Grundsätze, wie zu deiner Amme Euryklea: „Über erschlagene Menschen zu jauchzen, ist grausam und Sünde." Wenn der Phäakenkönig sagt: „Lieb wie ein Bruder ist ein hilfeflehender Fremdling", oder wenn der wackre Sauhirt Eumäos dir sagt: „Denn Gott gehören ja alle Fremdlinge und Darbende an", so zitieren sie dich, der selbst von Polyphem im Namen des Zeus Xenos Respekt vor Fremden fordert, leider umsonst, wie du weißt. Zuweilen klingt es, als äußertest du humane Grundsätze, wenn sie dir nützlich sind. Besser ein Moralist aus Berechnung, als kein Moralist!

Du schonst die Sänger und die Herolde, du kennst die Wonnen der Zivilisation. Du verstehst dich auf viele Künste, wenn du auch nicht wie Achilleus die Laute spielst, und du bist der erste Tanzkritiker der Weltliteratur, anläßlich der Tänze der Phäaken. Freilich besorgst du dir auch Gift für deine Pfeile. Noch die Toten schätzen deine Vernunft so hoch, daß sie dir praktischen Rat fürs Leben erteilen. Der tote Agamemnon, voller Groll über Klytämnestra, die neben dem sterbenden Gatten Agamemnon seine aus Troja heimgebrachte Geliebte Kassandra erschlägt, deren Wimmern Agamemnon noch im Hades hört, rät dir, obgleich er dir zugesteht, deine

Penelope sei ein treues und gutes Weib, keiner Frau alle deine Geheimnisse anzuvertrauen: „denn nimmer ist Weibern zu trauen!"

Bei soviel Vernunft bist du ein erstaunlicher, herrlicher Fabulist, einer der großen Märchenerzähler, freilich dichtetest du schon als Knabe.

Aber bei aller Vernunft hast du wie aus Übermut dir selber die gefährlichsten Feinde geschaffen, wie den großen Meergott Poseidon. Wärst du nicht in die Höhle des Polyphem gegangen, so hättest du ihn nicht geblendet, und da du ihn schon glauben und sagen ließest, outis habe es getan, Niemand habe ihn geblendet, verrietst du aus purem Übermut ihm selber, daß du nicht Niemand sondern Odysseus, der Sohn des Laertes seist, und so kannte Poseidon dich, und verfolgte dich.

Du hast jedes Talent gehabt, aber nicht das Talent, glücklich zu sein. Ovid sagt von Dichtern: Est deus in nobis. Gott ist in uns. Du gehörst zu den Dichtern. Aber war Gott in dir? Und welcher?

Vielleicht sollte ich einige deiner Übersetzer konsultieren, etwa unsern Johann Heinrich Voss, den auch der russische Übersetzer der Odyssee Wansilij Schukowski konsultiert hat, oder den Halbgriechen Leonzio Pilato, den Boccaccio zwei Jahre lang in seinem Haus in Florenz hielt, damit Pilato mit Boccaccios Hilfe die Ilias und die Odyssee ins Lateinische übersetzte, oder den Alexander Pope, oder meinen Freund Joseph Wittlin, der in mehrfachen Fassungen die Odyssee ins Polnische übersetzt hat.

Herder schrieb aus Wandsbek am 24. Mai 1783 an seine Frau, als er den Matthias Claudius wiedersah: „Er ist ganz derselbe, nur zwanzig Jahre älter, und in sich gekehrter." Dieser Claudius war ein Antipode von dir, häuslich seßhaft, ein Gegner aller Kriege, der begehrte, nicht schuld daran zu sein, und so empfindlich, daß Herder mitteilt: „Denn wenn er ein Buch schreibt, wird er krank."

Übrigens, welche robuste Gesundheit hattest du! Als du heimkamst, warst du auch ganz derselbe, nur zwanzig Jahre älter? Zehn Jahre dauerte der Krieg um Troja, zehn weitere Jahre dein Kampf um die Heimkehr, ein Kampf mit Ungeheuern und Abenteuern und Göttern, und mit dir selber. Umwege lagen in deinem Charakter. Weder eine gerade Antwort, noch eine gerade Aktion waren dir gemäß. Nie hast du gehandelt, wie es sich ergab, nie gelebt, wie es kam. Erst hast du die Odyssee gelebt, dann sie quasi selber geschrieben, unter dem Namen, in der Figur des Homer. Wie viele Autobiographen hast du dein Leben von Beginn so geführt, wie es am besten zu beschreiben war.

Als du heimkamst, aus deinem von den Göttern verordneten Exil, hattest du viele typische Erfahrungen von Exilierten.

Erinnerst du dich noch, Odysseus? Du schweigst, aber du hörst mir aufmerksam zu. Mehrmals griffst du nach deinem ehernen Schwert, und stünde nicht Hermes neben uns, mit seinem goldenen Stab, zuweilen auch in Gestalt eines jungen Kellners, der uns süßen Wein einschenkt, wer weiß, was geschähe?

Du kamst auf dem Schiff der Phäaken. Ein sanfter Schlaf bedeckte deine Augen, unerwecklich und süß, und fast dem Tode gleich. Nach den unendlichen Leiden in den Schlachten und im tobenden Getümmel des Meers, kamst du, von dem Homer sagt, daß er an Weisheit den Göttern ähnlich sei, so ruhig schlafend, als hättest du alle Leiden und Schmerzen vergessen.

Die Phäaken hoben und legten dich Schlafenden nieder im Sande, und am Stamme eines Ölbaums außer dem Wege alle Geschenke der Phäaken.

Am Morgen erwachtest du, und erkanntest die Heimat nicht. So viele Exilierte kommen in die Heimat zurück, und erkennen sie nicht, und folgen dem Rat der Götter und blinder Propheten und ziehen aufs Neue in die Fremde.

Dir erschien alles unter fremder Gestalt: „Meerstraßen, schiffbare Häfen, wolkenberührende Felsen und hochgewipfelte Bäume."

Und da du deine Heimat ansahst, und sie nicht mehr erkanntest, da hubst du bitterlich an zu weinen und schlugst dir die Hüften beide mit flacher Hand und sprachst mit klagender Stimme: „Weh mir! Zu welchem Volke bin ich nun wieder gekommen? Sind's unmenschliche Räuber und sittenlose Barbaren . . .? Und wohin soll ich selber irren?"

Und als Athene dir die Heimat im einzelnen beschrieb, fragtest du wieder: „Sage mir, bin ich denn wirklich im lieben Vaterland?" Und Athene erwidert: „Darum kann ich auch im Unglück dich nimmer verlassen."

Schließlich zerging der Nebel, du erkanntest die Heimat, da freutest du dich herzlich des Vaterlandes und küßtest die fruchtbare Erde.

Auch dich hat die Heimat nicht wiedererkannt, außer einem räudigen Hund, Argo, der schon im Sterben auf einem Misthaufen lag, und zweifelnd deine alte Amme Euryklea. Aber auch sie, wie alle andern, brauchte erst Zeichen und Beweise, um zu glauben, daß du der Odysseus bist.

Nur Hunde erkennen uns, wenn wir aus dem Exil heimkehren?

Zerlumpt und schmutzig, in der Tracht eines alten Bettlers kehrtest du heim. Du sagtest zu deinen Mägden: Ich bin zum Dulden gehärtet. Sie lachten dich aus. Dein Ziegenhirt trat dich. Die Freier, die Söhne jener, die zu Hause geblieben waren, und keine Helden vor Troja wurden, stießen dich, schmähten dich, verspotteten dich, warfen Kuhfüße und Schemel nach dir. Du betteltest, schlugst dich mit dem Bettler, Iros, die Freier lachten dich höhnisch aus.

Du hast sie ermordet, über hundert. Da du sie totschlugst, erkannten sie dich. Der Hund erkannte dich bedingungslos, die Amme an der Narbe der Wunde, die dir in deiner Jugend ein Eber geschlagen hat. Dein Sohn Telemachos hielt dich lieber für einen Gott.

Als du die Amme Euryklea zu Penelope schicktest, du seist zurückgekommen, habest alle Freier erschlagen und wollest sie sprechen, da stieg sie von den Frauengemächern herab, und im Gehen schlug ihr Herz zweifelnd, ob sie dich von fern befragte oder entgegen dir flöge und Hände und Antlitz dir küßte. Als sie nun über die Schwelle trat, setzte sie fern an der Wand, im Glanze des Feuers, dir gegenüber sich hin. Du saßest an einer ragenden Säule, die Augen gesenkt, und wartetest, was sie dir sagen würde.

Lange saß sie schweigend. Jetzt glaubte sie schon, dein

Angesicht zu erkennen. Jetzt verkannte sie dich in deiner häßlichen Kleidung.

Telemachos warf ihr vor, ihr Herz sei härter als Stein. Penelope erwiderte: „Lieber Sohn, ich bin in Erstaunen verloren, und ich vermag kein Wort zu reden oder zu fragen, noch ihm gerade ins Antlitz zu schaun. Doch ist er es wirklich, mein Odysseus, der wiederkam, so werden wir beide uns einander gewiß noch besser erkennen: Wir haben unsere geheimen Zeichen, die keinem andern bekannt sind."

Da lächeltest du sanft, und sagtest: „O Telemachos, laß die Mutter, solange sie Lust hat, mich im Hause versuchen; sie wird bald freundlicher werden. Weil ich so häßlich bin und mit schlechten Lumpen bekleidet, darum verachtet sie mich, und glaubt, ich sei es nicht selber. Aber wir müssen bedenken, was nun der sicherste Rat sei. Denn hat jemand im Volke nur einen Menschen getötet, welcher, arm und geringe, nicht viele Rächer zurückläßt, flüchtet er doch und verläßt die Heimat und seine Verwandten. Und wir erschlugen die Stütze der Stadt, der edelsten Männer Söhne in Ithakas Reich."

Dein vernünftiger Sohn erwiderte: „Lieber Vater, da mußt du allein zusehn."

Wie stets fiel dir ein Trick ein, eine Komödie. Alle sollten baden, sich festlich anziehn, der Sänger die Harfe schlagen und zum Reigentanz aufspielen, auf daß Nachbarn und Passanten sagten, man feiere die Hochzeit der Königin mit einem Freier, damit nicht eher der Ruf von dem Mord an den Freiern durch die Stadt sich verbreite, bevor du und dein Sohn und dein Sauhirt und dein Kuhhirt zum Landgut deines Vaters geflüchtet waren.

Nun badete dich die Schaffnerin Eurynome, salbte dich, umhüllte dich mit prächtigem Mantel und Leibrock. Athene gab dir göttliche Anmut, schuf dich höher und stärker an Wuchs, goß vom Scheitel ringelnde Locken herab. Und du stiegst aus dem Bad an Gestalt den Unsterblichen ähnlich und kamst und setztest dich wieder auf deinen verlassenen Sessel gegenüber der Penelope und sagtest: „Wunderliche, gewiß vor allen Weibern der Erde, schufen die Himmlischen dir ein Herz so starr und gefühllos . . .“

Schließlich erkannte sie die Zeichen, da du euer Liebesbett schildertest, ihr erzitterten Herz und Knie, weinend lief sie hinzu und fiel mit offenen Armen dir um den Hals und küßte dein Antlitz und sagte: „Sei mir nicht bös, Odysseus. Du warst ja immer ein guter und verständiger Mann! Aber du mußt mir jetzt darum nicht zürnen noch gram sein, daß ich, Geliebter, dich nicht beim ersten Blick bewillkommt! Siehe, mein armes Herz war immer in Sorge, es möchte irgend ein Sterblicher kommen und mich mit täuschenden Worten hintergehn; es gibt ja so viele schlaue Betrüger.“

Weinend hieltest du dein Weib in Armen.

Nachdem ihr „die Fülle der seligen Liebe gekostet“, erzähltest du ihr die halbe Odyssee, die du bei jeder Gelegenheit erzählt hast.

Am Morgen hast du sie allein gelassen, und flohst aufs Gut deines Vaters. Erst erzähltest du ihm neue Märchen, und als er von der schwarzen Wolke des Kummers umhüllt, Staub über sein graues Haupt streute, aus Schmerz über den verlorenen Sohn, schnob dir in der Nase der erschütternde Schmerz, küssend umschlangst du den Vater und sagtest: „Vater, ich bin es selbst, nach dem du fragst, bin im zwanzigsten Jahr zur Heimat wiedergekehrt."

Inzwischen versammelte sich das Volk von Ithaka. Der Vater des erschlagenen Freiers Antinoos forderte die Bestrafung der Mörder. Es kam zur Schlacht. Ihr erschlugt viele, und hättet alle vertilgt, wenn nicht Athene dir Frieden geboten hätte.

Die Göttin erneuerte zwischen dir und dem Volk das Bündnis, „die Tochter des wetterleuchtenden Gottes, Mentorn gleich in allem, sowohl an Gestalt wie an Stimme."

So endet die Odyssee. So hast du nicht geendet.

Bist du gemäß den Prophezeihungen des Teiresias sogleich in die Fremde gezogen, in ein Land, wo man weder Salz noch das Meer kennt und ein Ruder für eine Schaufel hält?

Was tut ein Mensch, der nach zwanzig Jahren aus Krieg und Exil heimkommt? Was fühlt er? Was wird aus ihm?

Ende gut, alles gut? Das hat schon Homer nicht geglaubt. Viele Autoren deuten mehr oder minder verhüllt an, was sie von der Zukunft ihrer stehngelassenen Figuren halten. Keiner ist mehr derselbe, weder du noch irgend ein anderer noch die Heimat. Was wirst du mir antworten? Athene sagte von dir: „Geist erfordert es, und Verschlagenheit, dich an Erfindung jeglicher Art zu besiegen, und käm' auch einer der Götter!" Was kannst du noch erfinden?

Gewiß sagtest du: „Siehe, ich selber war einst ein glücklicher Mann . . . " Du hast sogar, was so selten geschieht, heimkehrend deine Rache gehabt und genossen. Du blickst dich um, ein vielgewanderter Mann, der vieler Menschen

Städte gesehn und Sitte gelernt hat, da ist diese kleine Insel Ithaka, nicht mal eine Ebene hat sie, da sind Kuhhirten, Sauhirten, der tote Ziegenhirt, da sind racheheischende Familien, da ist der Vater, der schon mit einem Fuß im Grab steht, dein Sohn Telemachos, einer dieser mittelmäßigen Söhne von Genies, diese alternde Penelope, gewiß eine treue Frau, und klug, was wird sie tun? Und was sollst du mit ihr tun? Man hat ihr den Schmerz und die Sehnsucht genommen, da kann sie ja wieder weben, und nachts das Gewebe auftrennen. Zwanzig Jahre verbrachte diese arme Frau ohne Liebhaber, und nun eine Liebesnacht, und wieder soll sie zwanzig Jahre warten? Auf wen? Auf was? Und der Sauhirt, ein braver Mann, und der Kuhhirt ... Und alle haben dir Vorwürfe zu machen. Noch hat keiner es ausgesprochen. Du bist schuld an aller Unglück. Was sollst du tun? Deine Odyssee hast du schon erzählt. Neue Märchen?

Sollst du Vieh züchten, und pflügen, ein Großgrundbesitzer? Oder das Leben eines Müßiggängers, eines alternden Abenteurers führen, der sich zur Ruhe gesetzt hat? Du bist nicht Homer, um deine eigenen Abenteuer zu beschreiben, nicht einmal ein Casanova.

Die Welt vergißt dich. Kein Gott besucht dich mehr. Die jungen Leute, soweit du sie nicht erschlagen hast, werden über dich lächeln. Ein Held von gestern! Der trojanische Krieg? Gab es ihn? Hekuba, wer weint um sie? Die schöne Helena, um das Maß des Unglücks voll zu machen, ist nicht mehr jung, nicht mehr schön, und sitzt wieder bei ihrem Menelaus. Wer lauscht noch den Epen Homers, wer liest die Odyssee noch? Penelope, wird sie dir weiter treu bleiben? Telemachos, wird er nicht ungeduldig werden, ein Kronprinz, der nach dem Thron strebt? Die hübschesten deiner Mägde hat dein Sohn aufgehängt. Ein wenig zappelten sie noch mit den Füßen.

Du bist allein in Ithaka, der einsamste Mensch, ein Mensch, den man fürchtet, der erst alle andern, dann sich selber überlebt hat. Schon Aiolos, der dir helfen wollte, sandte dich, als du zum zweiten Male kamst, entsetzt weg, einen Menschen, den die Götter verfolgen, einen Unglücklichen, der auch andern nur Unglück bringt.

Sprich, Odysseus!

Wir wissen, was Homer von dir gedacht hat. Er gab dir, als du heimgekommen warst und die Freier erschlagen hattest, nur eine Nacht, um in deinem Haus als Herr zu sitzen, und nur eine Nacht, um mit deiner Frau Penelope zu schlafen.

Wir wissen, was andere antike Autoren erzählt haben. Einmal, Odysseus, sage die Wahrheit!

Hermes stand unversehens neben mir, jung und hübsch. Er schenkte uns süßen Wein ein. Wenn Tote zu dir reden sollen, sagte er, mußt du ins Land der Toten gehen.

Sollte ich wieder die unheimliche Reise zu den Kimmeriern antreten? Als Peter Härtling mich einlud, für seine Anthologie eine mitten im Leben vom Autor stehngelassene Figur fortzuführen, erschien mir im Traum Odysseus.

Wir alle leben unser Leben fragmentarisch. Schon die eigene Geburt, der eigene Tod sind jedem Menschen unfaßlich. Wir sehn vom Leben anderer nur Fragmente. Auch die Autoren, wenn sie mit der Geburt ihrer Helden beginnen und mit deren Tod enden, haben nur Bruchstücke in Händen. Jeder von uns erfindet sich selber, macht eine Figur aus sich für andre und sich selber. Wir wissen von andern so wenig, und setzen sie und ihr Leben in unserer Phantasie fort. Wir leben in einer Welt, der von uns nach unserm Maßstab erfundenen Welt, mit Figuren, die wir nach unsern Begriffen umdichten und dennoch für real halten. Und wir leben alle mit vielen von andern erfundenen fiktiven oder historischen Figuren, die wir nie gesehen haben, oder mit Zeitgenossen, die wir nur vom Fernsehn kennen.

Die Weltliteratur ist voll von Werken, deren Autoren die Figuren anderer Autoren übernommen, fortgeführt, variiert haben, wie auch die bildenden Künste zahllose Figuren aus der Literatur und aus der Geschichte nehmen. Manche Autoren sparen ihre Helden auf, und lassen sie mitten im Leben stehn, um für weitere Bücher Stoff zu behalten. Andere Autoren mischen sich selber unter ihre Figuren, die sie erfunden, oder in ihrer eigenen Umgebung getroffen haben, mit Figuren anderer Autoren. Vergil nahm den Aeneas vom Homer. Homer nahm den Odysseus aus der Ilias für die Odyssee.

Darf man aber antike Figuren behandeln, als wären sie unsere Zeitgenossen? Ähneln ihre Anschauungen und Sitten den unsern? Gleicht ihre Moral der unsern? Schon Zeitgenossen, die hüben und drüben gewisser Grenzen leben, verstehen einander nicht mehr, obgleich sie in der selben Sprache sprechen.

Hatte Bakunin recht, als er an Alexander Herzen aus Ischia am 19. Juli 1866 schrieb: „Hört denn Wahrheit und Recht auf, Wahrheit und Recht zu sein, weil sich ein ganzes Volk dagegen erklärt?" Bakunin schrieb: „Was in andern Staaten nur eine intermittierende Tatsache zu sein pflegt, das ist bei uns eine beständige, ununterbrochene: Die Verneinung alles Menschlichen des Lebens, des Rechts, der Freiheit jedes einzelnen und ganzer Völker im Namen und ausschließlich zu Nutz und Frommen des Staates." Gilt das auch für die homerische Welt? Gilt es für uns heute noch?

Schiller schrieb ("Über naive und sentimentalische Dichtung") „ . . . ihre (der Griechen) Götterlehre selbst war die Eingebung eines naiven Gefühls, die Geburt einer fröhlichen Einbildungskraft . . . Sie empfanden natürlich; wir empfinden das Natürliche . . . Es war ohne Zweifel ein ganz anderes Gefühl, was Homers Seele fühlte, als er seinen göttlichen Sauhirt den Ulysses bewirten ließ, als was die Seele des jungen Werthers bewegte, da er nach einer lästigen Gesellschaft diesen Gesang las." Aber Schiller glaubt ja auch: „Die Dichter sind überall, schon ihrem Begriffe nach, die Bewahrer der Natur."

Dante bestieg Charons Schiff, um in die christliche Hölle zu gelangen. Soweit wollte ich nicht gehn.

Ich war also vor sieben Tagen nach Hellas geflogen, hatte ein Auto zum Olymp, zum Parnaß genommen, nach Delphi zum Orakel, nach Sparta und Athen, ich wollte nach Ithaka fahren, aber wo liegt Ithaka?

Schließlich schickte mir Th. Cook einen Führer, einen anmutigen jungen Mann, mit einem Stöckchen mit goldnem Knauf, er lächelte, und hieß Hermes.

Wir hatten ein norwegisches Segelschiff bestiegen, erreichten das Ende des tiefen Ozeans, wo das Land und die Stadt der kimmerischen Männer liegt, die beständig in Nacht und Nebel tappen. Wir nahmen zwei schwarze Schafe, gingen am niederen Strand zu den Hainen Persephones, voll unfruchtbarer Weiden und hoher Erlen und Pappeln, und zum Haus von Hades, wo in dem Acheron der Pyriphlegeton stürzt und der Strom Kokythos, ein Arm der stygischen Gewässer.

Da grub Hermes eine Grube, eine Elle im Geviert, goß Sühneopfer, erst Milch und Honig, dann süßen Wein, dann Wasser mit weißem Mehl bestreut, wir gelobten den Toten neue Opfer.

Hermes opferte einen schwarzen Bock und ein schwarzes Schaf, kehrte ihre Häupter zum Erebos, zog die toten Schafe ab, warf sie ins Feuer, ich betete zu Hades und der strengen Persephone. Schon kamen die Toten, unzählige Scharen von Geistern mit grauenvollem Getös. Ich riß das Schwert von der Hüfte und ließ die Luftgebilde der Toten nicht dem Blut sich nahen, bis Teiresias kam.

Jetzt erschien des alten Thebäers Seele, er hielt den goldnen Stab, er kannte mich gleich und sagte: „Warum verließest du doch das Licht der Sonne, du Armer, und kamst hier, die Toten zu schaun und den Ort des Entsetzens? Aber weiche zurück und wende das Schwert von der Grube, daß ich vom Blut trinke und dir dein Schicksal verkünde!"

Halt! rief ich dem blinden Propheten zu. Nicht mein Schicksal künde, sondern die Geschichte des Odysseus, nach dem Ende der Odyssee.

Odysseus kam. Hermes, bekanntlich auch der Gott der Diebe, hatte die Seele des Odysseus gestohlen und uns auf seinen goldenen Flügelschuhen ins Café Domiziano auf der Piazza Navona in Rom getragen.

Nun sollte ich wegen des stummen Eigensinns des toten Odysseus zurück zu den Kimmeriern fliegen?

Ich bestellte bei Hermes eine neue Flasche süßen Weines und einen Espresso, und sah mich um. Die Piazza Navona schien leer. Die Liebespaare und Studenten waren weg. Der Mond war untergegangen. Es war totenstill. Hermes war verschwunden. Kein Kellner kam. Ich erschrak.

Hatte Hermes die ganze Piazza Navona zu den Kimmeriern getragen? Saß ich am Rande des Hades? War ich dem Odysseus gleich schon ein Toter aus der Unterwelt, ein Schatten, nichtig und neugierig?

Da hob der Flußgott auf dem Vierflüssebrunnen Berninis seine Hülle vom Haupt und ich sah das listige und schmelzende Lächeln meines jungen Freundes Hermes, und fühlte mich geborgen, wie überall in Gegenwart eines Freundes.

Wenn ich dich also anklage, edler Odysseus, wirst du mir mit Recht erwidern, sprich zu Homer!

Er hat mich geschaffen. Findest du Widersprüche, gib ihm die Schuld. Zuweilen schläft auch Homer. Welcher Homer, wirst du fragen. Ist der Autor der Ilias derselbe, wie der Autor der Odyssee? Und ist nicht auch die Odyssee ein zyklisches Poem? Haben fünfzehn Liedersänger daran gearbeitet? Gab es mehrere Autoren, die sich Homer hießen, und wieviele Odysseen gab es, und hat sie einer redigiert und zusammengefügt, um alle Abenteuer des Odysseus zu vereinen? Gibt es drei Teile? Die Reise des Telemachos zu Nestor und Menelaus. Odysseus auf Phäa. Und die Rache an den Freiern?

Am 22. Oktober 1786 schrieb Goethe in seinen Tagebüchern: „Sagte ich dir schon, daß ich einen Plan zu einem Trauerspiel Odysseus auf Phäa gemacht habe? Ein sonderbarer Gedanke, der vielleicht glücken könnte."

Wenn du, edler Odysseus, alles lesen würdest, was man über dich geschrieben hat, würdest du nicht dich oder Homer zitieren: „Dulde, mein Herz. Du hast noch härtere Kränkung erduldet."?

Plutarch und Pseudo-Apollodor sagen, daß die Angehörigen der erschlagenen Freier den Neoptolemos als Schiedsrichter holten, dessen Richterspruch dich aus Ithaka und den umliegenden Inseln verbannt hat.

Proklos erzählt, du seist sogleich nach Elis gegangen, um deine Rinderherden auf dem Festland zu inspizieren. Um das Orakel des Teiresias zu erfüllen und den Zorn des Poseidon zu besänftigen, zogest du ins Land der Thespoter, heiratest ihre Königin Kallidike, und obgleich dir Teiresias befohlen hatte, gleich nach Ithaka zurückzukehren, bliebst du bei deiner neuen Frau, bis diese starb, und euer Sohn, Polypoites, herangewachsen war und die Herrschaft übernehmen konnte.

Eustathios zählt deine Söhne auf. Nach Hesiod hattest du den Agrios und Latinos von Kirke, den Nausithoos und Nausinoos von Kalypso. Nach dem Eugammon aus Kyrene, dem Verfasser der Telegonie, hattest du den Telegonos oder Teledapos von Kalypso, (was freilich ein Irrtum ist) und von Penelope hattest du zwei Söhne, den Telemachos und den Artesilaos (indes Telemachos in der Odyssee sich rühmt, der einzige Sohn von dir zu sein, wie auch du der einzige Sohn des Laertes seist).

Eugammon erzählt, du seist nach vielen Jahren nach Ithaka wiedergekommen. Inzwischen sei Telegonos, dein Sohn von Kirke, ausgezogen, um den Vater zu suchen, sei in Ithaka gelandet und hätte dich getötet, ohne den Vater zu erkennen.

Ich starrte auf Odysseus. Er schwieg. Plötzlich stand wieder Hermes neben mir, der Gott von Kylene. Er hielt in der Rechten den goldenen Herrscherstab, womit er die Augen der Menschen zuschließt, welche er will, und wieder vom Schlummer erweckt. Schon band er unter die Füße die goldenen ambrosischen Sohlen, womit er über die Wasser und das unendliche Land im Hauche des Windes einherschwebt. Hiermit nahm er den Stab, den er hält, bevor er auffliegt, und sagte: „Wir schließen, Signor. Hier ist die Rechnung."

Ich sah ihn genauer an. Er war ein anmutiger junger Kellner, nicht anders gekleidet, als viele römische Kellner.

Ich blickte geschwind zu Odysseus. Er war nicht mehr da. Eine Spottdrossel flog auf und setzte sich in die Zweige der steinernen Palme von Berninis Brunnen.

Ich zahlte. Langsam ging ich durch die stillen Straßen von Rom. Die Stadt schien so leer, als wäre sie gestorben.

Ich bin Odysseus, der Zürnende, und polytlas, der vielgewanderte Mann, welcher so weit geirrt nach der heiligen Troja Zerstörung, vieler Menschen Städte gesehen und Sitte gelernt hat und auf dem Meere so viel unnennbare Leiden erduldet, seine Seele zu retten und seiner Freunde Zurückkunft, aber die Freunde rettet' er nicht ...

Albrecht Dürer,
der Autor

Sind große Männer die Repräsentanten ihrer Völker? Kann eine Ausnahme die Regel beweisen? Gehört ein Genie einer Nation? Völker wählen häufig falsche Figuren. Sie sehen große Männer falsch. Auch der Mißverstandene trägt zuweilen zum Mißverständnis bei.

Gilt das für Albrecht Dürer?

Wie ein Museum seiner Epoche sammelte er Europas geistige Tendenzen, religiöse Leidenschaften, Zeitstile und Kunsttheorien und stellte sie aus. Ein Traditionalist wurde unversehens nur durch Talent und Neugier und hemmungsloses Handwerk ein Initiator. Ein Eklektizist erscheint als ein Prototyp des Jahrhunderts. Mit lauter Widersprüchen im Werk, im Wort, im Charakter wirkt er universal, ein Alleskönner mit Originalität.

Der Autor Dürer, gleich dem Maler, gläubig und ungebunden, mischt raffiniert bis zur Naivität Stile und Einflüsse, nimmt viel von vielen, heißt sich zu oft und zu laut deutsch und ist ein Produkt von Europa. Er geht von einer zur anderen Epoche beliebig vor und zurück. Ein Anthologist seiner Zeit wird zu einem ihrer Lehrmeister, bei aller Abhängigkeit häufig autonom, ein Wunderkind, das reif beginnt und zu altern versäumt. Wie mancher Liebling seines Volkes hat Dürer früh seine eigene Legende mitgeschaffen und wie seine Selbstporträts von Mal zu Mal umstilisiert.

In seiner Familienchronik von 1524 schreibt er, sein Vater „hat für sich auch nicht viel Gesellschaft und weltlicher Freuden bedurft; er war auch von wenig Worten."

Albrecht Dürer indes war von einer verblüffenden Eloquenz.

Dieser „zum Sehen geborene" unerschöpfliche Erzähler und Schilderer, der sagt: „Dan der aller edelst sin der menschen ist sehen. . .vnser gesicht ist geleich förmig ein spigell", war mehr als ein Spiegel seiner Zeit und Welt, er trat in seinen Kupferstichen und Holzschnitten als ihr Sprecher auf, der wie ein Journalist, wie ein Aretino zu Europa sprach, zu Königen und Völkern.

Alles Wirkliche wurde durch ihn zum Wunder. Das Wunder wurde zur geschauten Wirklichkeit. Mit einem schier übermäßigen Vergnügen an allem Irdischen stellt er es dar. Entzückt von der bizarren Eigenart jeden Dings, aller Lebewesen, und von jedem winzigen Detail, und mit dem feurigen Wunsch, allem auf den Grund zu gehn, hatte er den Blick fürs Große, und die Tendenz zur Größe.

Er war ganz Auge und ganz rechnende Vernunft, bei allem zeitgenössischen Aberglauben, der Christentum und Astrologie gleich ernst nahm, bei allem religiösen Fanatismus, den er wie ein Kleid trug, das man austauschen konnte, bei allem grausamen Spaß am Grotesken und Höllischen. Er glaubte an Plato und an Kreuze, die vom Himmel fielen, „insbesondere mehr auf die Kinder" und

„ins Leinenhemd der Magd des Eyrer, der in Pirckheimers Hinterhaus wohnte, und die vor Todesangst weinte."
Er schrieb: „Auch habe ich einen Kometen am Himmel
gesehen" und notierte den Pfennig, den er als Trinkgeld
gab.

Mit der selben infantilen wie faustischen Wissbegier hat
Dürer seine Welt aufgezeichnet und sich, das Wirkliche
und das Unwirkliche, und vom Tod des Vaters 1502 berichtet und vom Tod der Mutter 1514, wo er schreibt:
„Darüber habe ich solchen Schmerz empfunden, daß ich's
nicht aussprechen kann . . . Und in ihrem Tode sah sie
viel lieblicher aus, als da sie noch das Leben hatte." Und
1525 schrieb er sein Traumgesicht auf und zeichnete es
„hier oben, wie ich es gesehen hatte. "

Mit dem selben mikroskopisch scharfen Blick porträtiert er Symbole, Monstren, phantastische Figuren und den
Vater, den Lehrer Wolgemut, die Brüder, oder seine
Agnes und die Mutter, die beide auf Märkten und Messen
echte Dürers für ein paar Stüber oder Gulden verkauften.
Er porträtierte einen Gott so präzis wie einen Grashalm.
Immerhin zeigte er oft, wenn er Kaiser und Kurfürsten
zeichnete, wie vulgär sie waren, indes unter seinem Silberstift oder seiner Kohle seine Freunde großartig erschienen.

Wer immer die Fülle der Welt erzählt oder malt, läßt
im Zweifel, wie weit Zufall oder Anlage oder Absicht
bestimmen, was er aufzeichnet und was er wegläßt, was er
emporhebt oder herabsetzt.

In der Kunst und in Kunsttheorien nahm er ungeniert,
was ihm gefiel. Er ahmte viele Meister nach und wurde
von Meistern nachgeahmt. Der angeblich so deutsche Dürer
übernahm von Italienern wie Niederländern oder Deut-

schen, Lionardos Gaul für den Stich „Ritter Tod und Teufel", von Mantegna plastische, von Pollaiuolo nackte Figuren, von Giovanni Bellini und Raffael Farben und Komposition. Mit fünfzig Jahren sah er in den Niederlanden die alten Meister und ging in seinen neuen Werken zu ihnen zurück.

„Item", schrieb er, „awss welchem ein großer künstlerischer maler soll werden, mus van guter werklewt kunst erstlich viel ab machen, pis daz er ein freie hant erlangt." Und: „Item je genewer man der natur geleich macht, ie pesser daz gemell zu sehen ist . . . Denn es gilt nit, dass man obenhin lauf und überrumpel ein ding."

Mit der selben Gier wollte er wissen wie mitteilen, lernen wie lehren, Leben, Erfahrungen und Kunst, ein exhibionistischer Pädagoge, der sein hübsches Gesicht zum Firmenschild machte, nebst seinen Initialen. Mit der ruhelosen Neugier eines Heiden lieh dieser passionsgierige Christ das Antlitz Dürers dem Jesus und des Jesu Gestus dem Dürer.

Ein figurenwimmelnder Weltkopist illustrierte Dürer diese und jene Welt, das Marienleben wie die ausgelassenen Komödien des Terenz, den Weltuntergang und einen Veilchenstrauß, die Apokalypse des Johannes und das Narrenschiff von Sebastian Brant. Er illustrierte die Weltgeschichte von Eva bis zum Kaiser Maximilian.

Dürer illustrierte die Hölle und bevölkerte sie mit seinen Nürnbergern. Er zeichnet das kleine und das große Rasenstück, als wäre er sein Feldhase und eine Wiese seine Welt. Mit dem selben Interesse zeichnet er einen Papst und tanzende Bauern.

Er sieht die Poesie der Greuel, die man den zehntausend Märtyrern antut, die Poesie des Lichts in einem Zimmer, im Gehäuse des Hieronymus, die Poesie des Lesers, und des Johannes, der sein Buch verschlingt. Er malt das nackte fliegende große Glück und sich selber nackt, durch Schwangerschaften entstellte Weiber und die sinnliche Herrlichkeit eines Vogelflügels und Adams, die unabhängige Schönheit von Landschaften, seiner Aquarelle, er macht eine Hand sprechen, Augen zum Fenster der Seele, einen Leichnam lebendig. Er zeichnet seine Träume. Für sein geplantes Buch über Malerei schrieb er: „Ach wie oft sich ich große Kunst im Schlafe, dergleichen mir wachend nit fürkummt." Dürer wollte die Geheimnisse der Wirklichkeit entdecken, um sie mitzuteilen, ein fanatischer Propagandist der Wahrheit, insbesondere der Wahrheit in der Kunst. „Denn wahrhaftig steckt die Kunst in der Natur - wer sie heraus kann reißen, der hat sie."

Fürs Malerbuch schrieb er: „Dy kunst des malens kan nit woll gevrteilt werden dan van den, dy do selbs gut maler sind. Aber vürwar den anderen ist es verporgen wy dir ein fremde sprach. Dy gros kunst des malens ist vor vill hundert jaren pey den mechtigen küngen jn grosser achtparkeit gewesen. Dan syn haben dy fürtreffenlichen künstner reich gemacht vnd wirdig gehalten. Dan syn bedawcht, daz dy hochverstendigen ein geleichheit zw got hetten als man schriben fint. Dan ein guter maler ist jndwendig voller Figur. Und obs möglich war, daz er ewiglich lebte, so hat er aws den jnneren ideen, do van Plato schreibt, albeg etwas news durch die werk awszwgissen."

Kann man größer von Malern sprechen, dabei so sim-

pel wie gelehrt? Freilich gehören diese Sprache und der
Geniekult wie der Pomp von Dürers Selbstbewußtsein der Zeit an, und der Rhetorik der Humanisten.
Dürer zitiert Ficino, und Seneca: Plenus hic figuris est, quas
Plato ideas appellat, aber es klingt wie bester Dürer, ganz
nürnbergerisch, und wie beste deutsche Prosa. Dürer
machte mit jedem Talent eine Figur.

Dieser so neugierige wie unruhige Künstler, der aus
einer Handwerkerfamilie und selber vom Handwerk
herkam, wahrte sein Leben lang die Vorteile des Mannes,
der alles mit eigener Hand macht und die Intuition wie
eine Technik meistert. Er behielt auch gewisse großartige
Vorurteile des Handwerkers, der alles Wissen für Fach-
wissen hält, für das man nur die passenden Werkzeuge
und Methoden finden muß. Der unbändige, zuweilen
doktrinäre Rationalist war ein Gläubiger, der an keiner
Grenze des Glaubens stehnblieb.

In seiner Familienchronik erzählt Dürer, sein Vater
Albrecht Dürer der Ältere sei im Dorf Eytas im Königreich Ungarn geboren, „und sein geschlecht haben sich
genehrt der Ochsen und Pferdt."

Goldschmiede waren Dürers Großväter, Dürers Vater,
Dürers Bruder Endres und „mein Vetter Nicklas Dürer,
der zu Cöln ansässig ist und den man Niklas Unger nennt:
er ist auch Goldschmied und hat das Handwerk hier zu
Nürnberg bei meinem Vater gelernt . . ." gelernte Goldschmiede waren viele der ersten Kupferstecher, wie Martin Schongauer und Albrecht Dürer. Er berichtet: „Mein
lieber Vater ist sodann nach Deutschland gekommen,
lange in den Niederlanden gewesen bei den großen Künstlern und zuletzt hierher nach Nürnberg gekommen . . .

1455. Und an dem selben Tage hatte Philipp Pirckheimer Hochzeit auf der Veste und es war ein großer Tanz unter der großen Linde ... Darnach hat mein lieber Vater ... dem alten Hieronymus Holper, der mein Großvater gewesen ist, eine lange Zeit gedient, bis ... 1467, da gab ihm mein Ahnherr seine Tochter, eine hübsche, gerade Jungfrau, Barbara genannt, 15 Jahre alt, und er hatte mit ihr Hochzeit ..."

Dürer zählt die 18 Kinder der Eltern auf, er war das dritte. „Und insbesondere hatte mein Vater an mir ein Gefallen, da er sah, daß ich fleißig in der Übung zu lernen was. Darumb ließ mich mein vater in die schule gehen, und da ich schreiben und lesen gelernet hatte namb er mich wider aus der schule und lernet mich das goldschmid hantwerkh. Und da ich nun seuberlich arbeiten kund, trug mich meine lust mehr zu der malerei dan zum goldschmidwerkh. Das hielt ich mein vater für. Aber er was nit wol zufrieden dann ihn reuet die verlorne zeit, die ich mit goldschmidlehr hete zugebracht. Doch ließ er mirs nach, und da man zehlt nach Christi geburth 1486 ... versprach mich mein vater in die lehrjahr zu Michael Wohlgemuth, drei jahr lang ihm zu dienen. In dieser Zeit verlieh mir Gott Fleiß, daß ich gut lernte, aber ich mußte auch viel von seinen Gesellen leiden ... Und da ich ausgedient hat, schickt mich mein vatter hinwegg und ich bliebe vier jahr außen, bis daß mich mein vater wider fodert ... Und als ich wider anheimbe kommen was, handelt Hanns Frey mit meinen vater und gab mir seine tochter mit nahmen Jungfraw Agnes, und gab mir zu ihr 200 fl. und hielt die hochzeit ..." Da hört man die Stimme des 53jährigen Dürer, vier Jahre vor seinem Tode.

Was ginge verloren, wenn wir die Schriften von Dürer nicht hätten? Wüßten wir weniger über sein Werk? Er starb am 6. April 1528. Laut Erwin Panofsky gibt es mehr als 72 Gemälde von Dürer, nach Franz Winzinger 124, er freilich zählt die verschollenen, die zweifelhaften, einige neu zugeschriebenen Gemälde mit und berechnet die bemalten Rückseiten und alle Einzelteile von Altären gesondert. Es gibt mehr als hundert Kupferstiche Dürers, mehr als 350 Holzschnitte, mehr als tausend Zeichnungen, und drei Bücher, die er veröffentlicht hat: Die Unterweisung der Messung. Den Unterricht zur Befestigung der Städte, Schlösser und Flecken. Die Lehre von menschlicher Proportion. Sie hatten mehrere Auflagen, wurden ins Lateinische und andre Sprachen übersetzt und zweihundert Jahre lang viel gelesen.

Der schriftliche Nachlaß enthält: Die Familienchronik von 1524 (in vier Abschriften); das Blatt 59 (aus dem verlorenen „Gedenkbuch"); die Aufzeichnung über ein Traumgesicht; einen Briefwechsel von 69 Nummern; das Ring- und Fechtbuch; das Tagebuch der Reise in die Niederlande (in 2 Abschriften) ferner Aufschriften auf Dürers Zeichnungen und Bildern, andre Aufzeichnungen, schließlich theoretische Schriften und Studien. Das meiste hatte Pirckheimer verwahrt, nach dessen Tod 1530 blieb es im Besitz der Erben und erhalten. Was bei Dürers Witwe und dem Bruder Andreas lag, ging verloren, bis auf die Handschrift des Ring- und Fechtbuches. Verloren sind fast alle Briefe an Dürer, seine Briefe an seine Angehörigen, das „Schreibpüchle" von Venedig, viele andre Aufzeichnungen.

Welchen künstlerischen Rang haben die literarischen

Arbeiten Dürers? Was kann man aus den Schriften auf die Bilder schließen?

Oder zählt nur das einzelne Kunstwerk, ein David von Michelangelo etwa, Donatellos David, Van Eycks Genter Altar, Rossinis Barbier, Shakespeares Hamlet?

Sieht man jedes Detail der Ilias besser, wenn man weiß, daß Homer blind war? Muß man sogar Platos apokryphe Briefe kennen, um ihn ganz zu verstehen? Muß man wissen, wovon, wie, mit wem Dürer gelebt hat, mit wem er ins Bett ging, was er in den Niederlanden seiner Dienstmagd Susanna geschenkt hat? Oder verdunkeln diese Schatten seiner Person seine Werke mehr als sie zu erhellen?

Kennt man den Dürer, wenn man nur seinen Hasen, seinen Rasen kennt, seine apokalyptischen Reiter, seine Selbstbildnisse, die Porträts seiner großen und der anonymen Zeitgenossen, seine Große Passion, die Kleine Holzschnittpassion, die Illustrationen im Gebetbuch des Kaisers Maximilian, den Affentanz, die Melancholie?

Oder muß man das gesamte Werk Dürers kennen? Wie viele sahen dieses über die Welt verstreute Werk im Original?

Dürer hat keine Grenze gezogen zwischen Literatur und bildender Kunst, Schreiben und Zeichnen, Text und Illustration.

Dürer, ein Virtuose voll Aufruhr, war ein Literat in Bildern, ein sprechender Künstler, der Autobiograph seiner christlichen Provinz, der Biograph seiner heidnischen Welt.

Selbstbewußt und selbstvergessen hat er mit Begeisterung für den Beifall aller Welt wie für seinen eigenen

Beifall gearbeitet, für sein Pläsier und für sein Brot, zum Ruhm Dürers und Gottes.

Das früheste erhaltene Gemälde Dürers, ein Porträt seines Vaters von 1490, in Florenz, die Selbstbildnisse, die frühesten in der europäischen Malerei, machte er für sich, wie seine tanzenden Bauern und Monstren, die Krabbe und manchen Christus, seine Agnes und seinen Schrecktraum, eine Linde, eine Mühle. Vieles zeichnete er auf, um einen Vorrat zu haben, sein Warenlager, aus dem er holte, was er brauchte.

Ab 1503 signierte und datierte Dürer alle Arbeiten, auch Zeichnungen, die er nicht weggeben wollte, aus der Pedanterie des Handwerkers, aus der biographischen Neugier des Künstlers, der sich kontrolliert, oder aus dem Selbstbewußtsein eines Autors, der seines Nachruhms so sicher ist, wie der Bedeutung jeder Skizze und alles Dokumentarischen?

Dürer glaubte an seinen Nachruhm und an den Weltuntergang. Für beides hat er vorgesorgt.

Der Weltuntergang war damals um 1500 fällig. Dürer hat ihn pünktlich und großartig illustriert, 1948 in den 15 Holzschnitten seiner Apokalypse mit teils lateinischem, teils deutschem Text der Offenbarung Johannis. Dürers Taufpate Anton Koberger druckte den Text auf die Rückseite der Bilder.

Dürer hat den Weltuntergang verlegt, verkauft, ein wagemutiger Autor knapp vor dem jüngsten Tag, und später, obgleich die Welt nicht unterging, den Weltuntergang neu aufgelegt.

Seiner Nachwelt sicher, schrieb Dürer am 26. August 1509 an Jakob Heller in Frankfurt, die Altartafel für

Heller habe er „mit den besten Farben gemacht, die ich nur habe bekommen können. Sie ist mit zwei guten Farben unterstrichen . . . und etlich 4 oder 5 und 6 mahl undermalen, und da sie schon fertig war, habe ich noch zweimal übermalt, auf daß sie lange Zeit dauere. Ich weiß, wenn Ihr sie sauber haltet, daß sie 500 Jahre sauber und frisch sein wird, denn sie ist nicht gemacht, wie man sonst zu machen pflegt."

Dürer, der zeitlebens nicht allzu viele Auftraggeber hatte, und wenn er sie hatte, sich regelmäßig beklagte, er verliere an ihnen, und darum lieber ohne Auftrag arbeitete, wie bei den Folgen seiner Holzschnitte und Kupferstiche, klagte vor Heller: „Mich soll auch niemand mehr vermögen, noch eine Tafel mit soviel Mühe und Arbeit zu machen . . . denn ich mieste zu ainem Bettler darob werden. Den gemaine gemäll will ich ain Jahr ain hauffen machen, daß niemand glaubt, das möglich were, das ain man thun möchte. Aber das fleisig Kleiblen gehet nicht von statten. Darumb will ich meines stechens ausswarten, und hätte ich es bisher getan, so würde ich auf den heutigen Tag um 1000 Gulden reicher sein."

Für Dürer war die Sprache ein legitimes Kunstmittel. Als er seine Apostel der Stadt Nürnberg schenkte, predigte er durch Wort und Bild. Mit Textstellen aus Luthers Bibel, die der Schreibmeister Johann Neudörfer auf die Tafel schrieb, warnte Dürer vor falschen Propheten und der Unterdrückung der Armen, als sei Dürer selbst einer seiner Apostel.

Als er seine Verse auf einem Flugblatt 1509 mit einer Zeichnung von Jesu und Maria veröffentlichte, erklärte er: „Also spricht Albrecht Dürer, der Maler, der in seinen

Kupferstichen das Zeichen führt AD" und erzählte, wie seine „brüderlichen" Freunde, der Humanist Willibald Pirckheimer und der Ratsschreiber Lazarus Spengler, ihn seiner Reime wegen verspottet hätten, und zitierte ungeniert die Kritik Pirckheimers und das Spottgedicht des Lazarus Spengler, dem er in seinem Spottgedicht auf Spengler erwiderte:

„Daß ich was lerne, was ich nicht kann,
dafür straft mich kein weiser Mann."

Obendrein machte er eine Spottzeichnung gegen Freund Spengler. Im Scherz wie im Ernst wollte Dürer nie stehenbleiben, bei keiner Profession, Kunst, Wissenschaft. „Ein Mann mit Talent ohne Bildung ist wie ein blinder Spiegel", sagte Dürer.

Dürer war aus Lust am Malen ein Maler geworden. Er war ein feuriger Liebhaber so vieler Künste. In seinem Jahrhundert erfand man die Figur des Dilettanten. Dürer hatte zu viel Handwerk, zu viel Genie, zu viele Kenntnisse, um irgendwo ein Dilettant zu bleiben.

Was war er nicht, was konnte, was verstand er nicht alles!

Dieser Maler war ein gelernter Goldschmied, ein Zeichner, Illustrator, Kupferstecher, Radierer und Holzschneider.

Er war ein Drucker, Verleger und Kunsthändler.

Er war ein Mathematiker, den Kepler und Galilei schätzten. Er schrieb Bücher über Geometrie, Festungswesen, Messung von Menschen, Tieren, Gebäuden, über Proportionen, über die Bewegung. Er machte Entwürfe für Häuser, Glasmaler, Festungen und Basteien und Brunnen, für Becher, Leuchter, Helme, allerlei Geräte und Schmuck. Er zeichnete Schriften, Trachten und den Weltatlas für Stabius.

Er schrieb über Kunst und seine Familie, über das Schöne, über Gott und Päpste und Martin Luther, und was er auf Reisen sah und tat.

Er war ein Sprachschöpfer und Kunsttheoretiker, ein Ästhetiker auf der Jagd nach dem Schönen und Vollkommenen, ein Humanist, ein Diarist, ein vielseitiger Autor und Reimeschmied, ein gelehrter Künstler, der wie Lionardo da Vinci die Malerei für eine Wissenschaft hielt, die sich auf Mathematik und humanistische Bildung gründete.

Er war ein Popularisator, der durch seine Holzschnitte und Kupferstiche seine Vorstellungen von Heiden und Christen, seine Anschauungen von dieser und jener Welt, seine von überall angeregten Ideen in Europa verbreitete, ein Volksredner, der in Bildern zur Welt sprach, ein gotischer Apostel und ein Ritter der Renaissance, eine Hauptfigur der europäischen Kunst, der aus der Provinz kam, ein Mittler zwischen Stilen, Epochen, Völkern, Nationen, Sekten und Ständen, und immer wieder ein Initiator. Nachahmend übertraf er zuweilen seine Vorbilder. Die deutschen Maler tadelte er und versprach ihnen, wenn sie nur die Perspektive und die Proportionen lernten, eine große Zukunft, die nicht eingetroffen ist. Seine Bilder signierte dieser Sohn eines Ungarn, der wie oft Söhne von Einwanderern abwechselnd besonders kritisch gegen seine Landsleute war und wieder sie panegyrisch rühmte, häufig Albertus Durer Germanus und Noricus und Norimbergensis. Sein Kölner Vetter hieß sich dagegen Unger.

Dürer war ein Kunstlehrer, der bedeutende Maler zu

Schülern hatte, wie den Hans Baldung Grien, neben Hans Suess von Kulmbach und Hans Schäufelein, und die drei jungen „gottlosen" und revolutionären Maler Hans Sebald Beham, Barthel Beham und Georg Pencz, was Dürers Werkstatt zur Ehre gereicht.

Wie von allem, was er machte, und wie von sich, hatte Dürer auch von seinen Schriften eine große Meinung und wandte enorme Mühe, Zeit und Genie daran.

Seine theoretischen Studien begann er nach dem ersten Aufenthalt in Italien. In Nürnberg traf er den Maler Jakopo de' Barbari, Hofmaler des Kaisers. Dürer schrieb: „Idoch so ich einen find, der so Etwas beschriben hät van menschlicher mas zw machen, dan einen man Jacobus genent, van Venedig geporn, ein lieblicher Moler. Der wies mir man vnd Weib, dy er aws der mas gemacht hätt und daß ich auf diese Zeit lieber sehen wollt, was seine Meinung war gewest dann ein new kunigraich, aber dieser forgemelt Jacobus wollte seinen grunt nit klerlich an tzeigen, das merkett ich woll an jm." Dürer erzählt, wie er von Plinius und Vitruv und de' Barbari „seinen anfang" genommen und „dornoch aws meinen für nemen gesucht van dag zw dag."

Im Oktober 1507 schrieb Dürer aus Venedig an Pirckheimer, er reite nach Bologna, „um Kunst willen in heimlicher Perspektive, die mich einer lehren will."

Seit etwa 1508 schrieb er seine Theorien auf, die er aus Schriften antiker und zeitgenössischer italienischer Autoren, aus Spekulation und Erfahrung gewonnen hatte. Vermutlich kannte er Theorien und Manuskripte des Leone Battista Alberti und Lionardo da Vinci: zumindest hatte er indirekte Kenntnis. Seit 1512 arbeitete Dürer an seinem Buch „Unterricht der Malerei" oder „Speis der Malerknaben", wo er Perspektive, Farbenlehre und Proportionslehre abhandeln wollte. Bereits 1513 oder 1515 berichtete der Nürnberger Christoph Scheurl, in seiner Vita des Propstes Anton Kress, daß Dürer als einziger nach Apelles ein Buch „von der Kunst und Ursach der Malerei" geschrieben habe. Dürer hat es nie veröffentlicht. Aus zahlreichen Entwürfen gingen die drei theoretischen Bücher hervor, die er drucken ließ.

Indes seine humanistischen Freunde Bücher und Pamphlete, ja die meisten Briefe lateinisch verfaßten, schrieb Dürer deutsch. Damals gab es keine wissenschaftliche Prosa in deutscher Sprache, nur die Prosa der Mystiker, Suso, Tauler und Meister Eckhart in seinen deutschen Laienpredigten. Man druckte auf deutsch in einer ungeschliffenen rohen Sprache halbwissenschaftliche Kalender, Pflanzen- und Gesundheitsbücher oder „Geometrie deutsch".

Dürer mußte also wie Luther sein Deutsch schaffen, auch er schaute dem Volk aufs Maul und gab Leben einem standardisierten Kanzleistil.

Dürers Stadt-Mundart und seine Schriftsprache schwebten zwischen dem Bayerischen und Fränkischen, zwischen Mittelhochdeutsch und Neuhochdeutsch. Dürer bediente sich, wie Alberti, der Ausdrücke und Begriffe der antiken poetisch-rhetorischen Stilistik, nahm Vokabeln aus der Tradition der Plato, Cicero, Augustinus, der Scholastiker und der deutschen Mystiker.

Dürer bat Pirckheimer und andre humanistische Freunde, ihm eine Vorrede zu schreiben. Pirckheimer, in deutschen Briefen oft bündig und witzig, wurde zum

Pedanten, wenn er auf deutsch sich literarisch ausdrückte, er prunkte mit Metaphern und klassischen Anspielungen.

Einem dieser Humanisten schrieb Dürer: „Mein Herr! Ich bitte Euch, wollet die Vorrede so einrichten, wie ich im Folgenden anzeige: Erstens begehre ich, daß gar keine Ruhmredigkeit oder Hochmut darin bemerkt werde. Zweitens, daß gar keines Neides gedacht werde. Drittens, daß von nichts anderem die Rede sei, als von dem, was in diesem Buche steht. Viertens, daß nichts aus anderen Büchern Gestohlenes gebraucht werde. Fünftens, daß ich allein an unsere deutschen Jünglinge mich wende. Sechstens, daß ich die Italiener sehr lobe in ihren nackten Figuren und zumal in der Perspektive. Siebentens, daß ich diejenigen, welche im Besitze von etwas für die Kunst Lehrreiches sind, bitte, es zu veröffentlichen."

Dürer schrieb: „Doch sind wir nit gar aws geschlossen van aller weisheit . . . Dorum wer do will, der hör und sech, was ich mach . . . "

Für abstrakte mathematische Begriffe benutzte Dürer alte Handwerkervokabeln, etwa Fischblase und der neue Mondschein, um Figuren aus zwei Kreisen zu bezeichnen, die sich schneiden, oder Eberzähne und Ortsstrich. Er schuf neue Vokabeln wie Gabellinie für Hyperbole, Brennlinie für Parabole, Schneckenlinie für Spirale.

Am Ende beschrieb der „arme Maler", wie ihn Goethe geheißen hat, komplizierte geometrische Konstruktionen kürzer und klarer als die Mathematiker seiner Zeit und drückte historische Fakten oder philosophische Ideen in einer Sprache aus, die der Sprache Luthers ebenbürtig war, wenn wir Erwin Panofsky glauben.

Im Mittelalter unterschied man nicht zwischen Handwerk

und Kunst. Maler, Bildhauer, Buchkünstler, Goldschmiede und andere Metallarbeiter, sowie Architekten und Bauleute fanden gewisse theoretische Kenntnisse in einer Reihe von Abhandlungen. Aber diese Kunstbücher und ähnliche Schriften italienischer Künstler wie Leone Battista Alberti, Piero della Francesca, Francesco di Giorgio Martini und Lionardo da Vinci lieferten keine wissenschaftlichen Erklärungen, keine Prinzipien, keine Theorie, noch weniger die Wissenschaft, die Lionardo vorhersah, sondern Arbeitsmethoden und Arbeitsregeln.

Die Künstler der Renaissance wollten die Natur nachahmen, mußten also erst finden, was die Natur sei, darum Naturwissenschaft treiben, um darnach die Methode zu erlernen, wie die Natur nachzuahmen sei. So wurden italienische Künstler durch kunsttheoretische Bemühungen auch zu Naturwissenschaftlern. Antonio Pollaiuolo sezierte Leichen, als zeitgenössische Ärzte Anatomie noch nach Galen und Avicenna lehrten. Lionardo da Vinci zeigte Gesetze moderner Anatomie, Technik, Geologie und Meteorologie. Galilei verdankt ihm mehr, als den Kommentatoren des Aristoteles.

Dürer war der erste Nordeuropäer, der die italienischen Kunsttheorien aufgriff und entwickelte, und ein systematisches, präzis formuliertes wissenschaftliches Buch lieferte.

Pirckheimer drängte seinen Freund, seine Kunsttheorien zu veröffentlichen. Dürer zögerte lange, „solch Wunderbuch" herauszugeben.

Er hatte, wie seine Zeitgenossen, die Sichtbarkeit der Natur entdeckt, und des Körpers, des Raums, des Lichts. Er suchte das Feste, Bleibende, Typische, die Gesetze, nach gotischen Exzessen, das Einfache, Klassische, die Malerei als exakt lösbare Aufgabe der Geometrie. Um Dinge oder Körper zu begreifen, mußte man sie nur messen, unaufhörlich maß er Menschen. Wie Alberti und Lionardo wollte Dürer die Normen der menschlichen Proportionen in Zahlen ausdrücken.

Dürer gibt in seinem ersten Buch, der „Unterweisung der Messung mit dem Zirkel und Richtscheit" von 1525 neben ausgewählten Aufgaben aus der darstellenden Geometrie auch die Theorie der schönen Buchstaben, die Neudörfers und Andreaes sogenannte Nürnberger Fraktur angeregt hat, und bringt neben holzgeschnitzten geometrischen Figuren, Ellipsen, Parabeln, Kuben, Hohlkörpern, Initialen, Perspektiven, Raumberechnungen auch Entwürfe für ein Siegesdenkmal, für ein Denkmal eines Trunkenbolds und den Entwurf zum Bauernmonument von 1525, mit dem Schwert im Rücken des Bauern, womit Dürer gegen die Bauern, wie Luther, oder für die Bauern wie Tilman Riemenschneider Stellung genommen haben soll.

Die Bücher über die Messung und über die Proportionen widmete Dürer dem „hochersprießlichen Freund" Pirckheimer. In seiner Widmung schreibt er: „Denn es ist offenbar, daß die deutschen Maler mit ihrer Hand und im Gebrauch der Farben nicht wenig geschickt sind, wiewohl es ihnen bisher an der Kunst der Messung, Perspektive und anderem dergleichen gemangelt hat. Darum ist zu hoffen, wenn sie diese auch erlernen und also Geschicklichkeit und Kenntnis miteinander überkommen, daß sie dann mit der Zeit keiner andern Nation den Preis von ihnen lassen werden. Aber ohne Proportion kann nie eine Figur vollkommen sein."

Stolz wie ein Entdecker schreibt er: „Ich mein, ich

wöll hy ein klein fewerle antzünden. So jr all merung mit künstlicher pesserung darzw thüt, so mag mit der tzeit ein Fewer daraws geschürt werden, daz durch dy gantz welt lewcht."

In diesem nie vollendeten Malerbuch, wo er von allem handeln wollte, was Malen und Malerei betraf, finden wir wie in seinen Holzschnitten und Kupferstichen Naivität und Tiefsinn, absurde Details und den Blick fürs Große. Wie gemalter Tiefsinn zuweilen zur ikonographischen Pedanterie wird, so sind gemalte Naivitäten minder peinlich als geschriebene. Auch hier finden wir manchen grotesken Zug, tragikomische Konflikte und flagrante Widersprüche dieses großen Künstlers, der wie seine bigotte Mutter vom Christentum voll, zugleich glaubte, die antiken Heiden hätten den Schlüssel zur Welt und Kunst besessen, und der das ganze Wissen und alle Tendenzen seines neuheidnischen Jahrhunderts am liebsten ausgeschöpft hätte, befangen also vor Christus wie vor Plato, oder unbefangen vor jedermann.

1512 schrieb Dürer: „Es ist uns von Natur eingegossen, daß wir gern viel wüßten, dadurch zu bekennen eine rechte Wahrheit aller Ding!" Doch schrieb er auch einmal: „Solch Ding halt ich für unergründlich."

Er suchte das Vollkommene und das Schöne, aber welches Vollkommene, welches Schöne?

Da ist sein sonderbarer Satz: „Wie die Alten die schönste Gestalt ihrem Abgott Apollo zugemessen, also wollen wir dieselben Masze brauchen zu Christo dem Herrn, der der Schönste aller Welt ist."

Der Schönste? Dürer zeigt die Schaustellung, die Geißelung, die Gefangennahme, den Schmerzensmann in der

Höhle, am Kreuz zwischen den Schächern, den Leichnam, die Grablegung, die Beweinung — die Passion also in voller Schönheit? Die Schönheit des Leidens?

Wie die antiken Tragödiendichter dieselben Stoffe wiederholten, repetierte die christliche Kunst die gleichen Motive, Größe und Greuel aus der Geschichte der abtrünnigen Juden, aus dem Alten und Neuen Testament, die stete Wunderwelt, den tragikomischen Sturz der Menschheit vom Sündenfall bis zum Jüngsten Gericht, dieser grausigen Karikatur auf alle Justiz, mit der Rache eines Gottes für alle Ewigkeit, und die exemplarische Familiengeschichte von der unbefleckten Empfängnis bis zur Kreuzigung, mit Glück und Ende von Mutter und Kind im Marienleben und dem geplanten Unglück in der Passion.

Julien Sorel, Stendhals Sprecher in Le Rouge et le Noir, sagt, der Gott der Christen sei ein Despot und darum voller Rachegedanken; seine Bibel spreche nur von grausigen Strafen. Er sei ohne Mitleid.

Wer war Dürers Gott?

Wie Dürer alle Stände und Klassen, alle irdische Existenz und die himmlische und höllische dazu, alles mit Augen Sichtbare und alles in seiner Phantasie Geschaute festhalten wollte, mit Silberstift und Grabstichel und Pinsel für Wasser- und Ölfarben, auf Holz und Tuch, mit Feder, Kohle, Kreide und Schlammkreide und mit Tusche auf farbigem Papier, und alles zeigen wollte, vom Kaiser zum Henker, von Gott zum Teufel, vom Papst zum erstochnen Bauern, jede Lust, jeden Schmerz, so wollte er auch mit seinen Bildern, Stichen und Holzschnitten alle Stände und Klassen erreichen.

Er malte im Auftrag der Kirche und des Kaisers, von

deutschen Kaufleuten in Venedig und Frankfurt und Nürnberg, von Kardinälen und Kurfürsten, von großen Malern und Leuten, die ihm einen Gulden für ein Porträt „schenkten" oder gar nichts zahlten. Er gab Zeichnungen und Holzschnitte als Trinkgeld an Knechte und Mägde.

Aber vor allem arbeitete er im eigenen Auftrag und wandte sich an die Gelehrten wie an die Unwissenden, an die Elite wie an die Menge.

Der Kupferstecher und Holzschneider Dürer hat mehr als der Maler seinen internationalen Ruhm begründet und Schule gemacht in Europa. Ihm war jeder Weg recht, jede Wirkung erwünscht, all seine Widersprüche erschienen ihm natürlich. In den Skizzen zum Malerbuch schreibt er zwar von der Schönheit, es geziehme einem Maler, ein Bild aufs Schönste zu machen, wie er nur kann. „Was aber dy schonheit sey, daz weis ich nit."

Hier schreibt er, was von den meisten für schön gehalten würde, das sollen wir uns befleißigen zu machen. Dagegen schreibt er: „Da wir aber fragen, wie wir ein schön Bild sollen machen, werden entliche sprechen: nach der Menschen Urteil. So werden's dann die andern nicht nachgeben, und ich auch nicht."

Dann wieder schreibt er: „Ich halt dafür, je genauer und gleicher ein Bild den Menschen ähnlich gemacht würde, je besser dasselbe Werk sei ... Aber entlich sind eine andere Meinung, reden davon, wie die Menschen sollten sein. Solches will ich mit ihnen nicht kriegen. Ich halt aber in Solchem die Natur für Meister und der Menschen Wahn für Irrsal. Einmal hat der Schöpfer die Menschen gemacht, wie sie müssen sein, und ich halt, daß die rechte Wohlge-

65

stalt und Hübschheit unter dem Haufen aller Menschen begriffen sei. Welcher das recht herausziehen kann, dem will ich mehr folgen, denn dem, der ein neu erdichtet Maß, das die Menschen Teil gehabt haben, machen will."

Etwa 1523 schrieb Dürer: „Darum überlasse ich es jedem, ob er schöne oder häßliche Dinge machen will; denn jeder Meister muß eine edle oder gemeine Figur machen können. Das ist ein großer Künstler, der seine wahre Macht und Kunst in gemeinen und gewöhnlichen Dingen zeigen kann. Darum entwirft einer in einem Tag mit seiner Feder auf einem Papier und ist ein besserer Künstler als der andere in seinem großen und subtilen Bild. Und diese Gabe sei wunderbar; denn Gott gebe die Fähigkeit zu lernen und die Einsicht, etwas Gutes zu machen einem Mann, desgleichen in seiner Zeit nicht lebt, und kein gleicher lebte lange bevor und kein gleicher wird so bald nach ihm kommen." 1528 schrieb Dürer, es gebe eine relative Schönheit, die absolute sei bei Gott. Jetzt da wir nicht das Allerbeste erreichen können, sollen wir es ganz aufgeben? „Den viehischen Gedanken nehmen wir nit an." Dürer, ein gefangner Christ, eben da das Christentum sich spaltete, und zur Religion der Unwissenden wurde, wollte aus jedem Kerker entwischen und richtete sich in jedem Kerker wohnlich ein.

Wir sind alle eingesperrt und kein Weg führt in die Freiheit. Das Talent beflügelt, aber man fliegt nur durch eine illusorische Welt. Man lebt in einem zum Schein erweiterten Kerker. Wir sind eingesperrt in die eigene Person. Wir sehen nur, was unser Auge sehen kann, auch wenn wir durch Fernrohre blicken. Wir hören nur, was fürs Hören gemacht ist. Wir erfassen nur das uns Faßliche.

Immer wird unser Universum, auch mit Millionen Milch-
straßen, nur ein Spiegelbild unserer eingesperrten Vernunft sein, wie jeder Gott unser Schattenbild ist.

Man erzieht uns, ehe wir gehn und sprechen, lehrt uns,
was wir essen und denken sollen, schreibt alles vor, was
wir wissen können, liefert uns an Mythen, Traditionen,
Religionen und andere Vorurteile aus, an jede Art Aberglauben und vererbte Denk-Irrtümer. Wer sich wehrt, wird
eingesperrt, in einem Kerker innerhalb des Kerkers. Man
verbrennt oder erschlägt Ketzer und Nonkonformisten,
und unterdrückt sogar das Geständnis, daß man im Kerker lebt.

Wie Dürer in manchen Bildern verfuhr, daß er Figuren aus Teilen zusammensetzte, da den Kopf, und von
dort den Hintern nahm, eine Hand einfügte, oder einen
Fuß, wie er ganze Figuren transponiert hat, etwa die
Venezianerin für seine babylonische Hure ausborgt, oder
für Apostel und Heilige seine Freunde als Modell nahm,
etwa den Melanchthon, wie sein Adam und seine Eva
gleichzeitig auch Apoll und Venus, antike und biblische
Figuren darstellten, wie er aus dem Fenster seines Hau-
ses in Nürnberg blickte und Mauer und Türme in sein
Marienbild hineinzog, oder auf den Markt ging, um
Bauern abzuzeichnen, oder in den Spiegel blickte, wenn er
einen Trommler, oder sich, oder Christus, oder einen als
den andern, malen wollte, so verfuhr er auch, mit seinem Tagebuch der Reise in die Niederlande, wo er für
sich seinen Alltag notierte, als bestünde jede Erfahrung
seines Lebens aus Einnahmen und Ausgaben, als wäre er
ein Buchhalter seines Lebens, und sein Leben eine Folge
von Radierungen. Immerhin zeichnete er in seinem Reise-

skizzenbuch in Bildern auf, was ihm merkwürdig oder brauchbar erschien und was er später nutzte. Tagebuch und Skizzenbuch zusammen ergeben den ganzen Dürer.

Im Tagebuch notiert er so geradehin, so nüchtern wie Bargeld des Lebens, wie er geht und reitet und sich einschifft und mit Fuhrleuten verhandelt, welche Trinkgelder er verteilt (Almosen notiert oder gibt er nicht). Er schreibt auf, was er unterwegs gearbeitet hat, welche Kuriositäten und italienische Kunstwaren er gesammelt hat, mit welcher Bewunderung er die fremde Kunst der Azteken betrachtet hat, was er für eigene „Kunstware" wie er sagt, oder zuweilen, auch für Kunstware von andern, z. B. des Hans Baldung Grien, erlöst hat.

Wir lesen, wie Dürer mit seiner Agnes und der Magd Susanna umgegangen ist, meist aß Frau Dürer mit der Magd in der Küche, und Dürer mit dem Wirt oder mit andern Herren, wir erfahren, wie die niederländischen Maler und Goldschmiede und andern Kunsthandwerker den Dürer feierten, wie ihn einst die Maler in Venedig, Ferrara, Bologna gefeiert hatten. Auch der flüchtige König von Dänemark, des Kaisers Schwager, lud ihn zum Essen ein. Dürer notierte und zählte, wer ihn zum Essen einlud, für wen er Porträts gemacht, wieviel man ihm bezahlt hat, wer zu zahlen vergaß. Er sammelte die Details, wie Stüber und Gulden.

Er beschrieb die grotesken Abenteuer, und das Gewöhnliche. Die Gemälde, die er eigens aufsuchte, beschreibt er nicht, sondern erzählt nur, wieviel Trinkgeld er dem Küster gab, der ihm das Bild zeigte. Er berichtet, wie er auf einem Schiff beinahe untergegangen wäre, wie er krank wurde, und von so „schönen Mädchengestalten, dergleichen ich wenig gesehen habe." Davon erzählt er auch später dem Melanchthon, bei Fest-Aufzügen stellte man die schönsten Mädchen, in ganz dünnen Flor gehüllt, auf die Straße, und Dürer, wie er dem Melanchthon gestand, hat diese Mädchen sehr aufmerksam und etwas dreist in der Nähe betrachtet, weil er ja ein Maler sei.

Wir erfahren, daß ihn Thomas von Bologna, ein Schüler Raffaels, aufgesucht habe, einer zeichnete den andern, und wie oft und wieviel Dürer im Spiel verloren habe, daß er den Lukas von Leyden mit dem Stift porträtiert hat, daß ihm Margarete, die Statthalterin der Niederlande „alle ihre schönen Sachen zeigte, darunter bei vierzig kleinen Bildchen in Ölfarben, dergleichen ich an Feinheit und Güte zugleich nie gesehen habe", und daß Lukas von Leyden „ein kleines Männchen" war, daß Dürer das „Einreiten zu Antwerpen und des großen Riesen Gebeine" sah, daß Dürer der Margarete ein Bildnis ihres toten Vaters, des Kaisers Maximilian schenken wollte, „aber da sie ein solches Mißfallen daran hatte, da führte ich ihn wieder weg." „Ich gab mein Kaiserporträt gegen ein englisches weißes Tuch, das mir Jakob, Tomasin's Eidam gegeben hat." Dürer notiert es ohne Kommentar. Wir lesen in seinem Tagebuch, zwei Hengste brachten siebenhundert Gulden, eine Kohlezeichnung Dürers brachte einen Gulden. Dürer notiert es ohne Kommentar. Er notiert: „Der Alexander Imhof hat mir vollends hundert Goldgulden geliehen . . ."

So hat also Dürer gelebt, unterwegs mit Frau und Magd. So ging er von einer Einzelheit seines Lebens zur andern. So hat er seine Bilder und sein Leben zuweilen zusammengesetzt. Er machte einen Ausflug, um ein totes

Walroß zu sehn, er hat des Walroß Kopf gezeichnet. Er
aß mit Erasmus von Rotterdam, er hat des Erasmus Kopf
gezeichnet.

Er zeichnete den 93jährigen Alten, und zahlte ihm wie
einem Modell. Er zeichnete das nackte Brustbild eines
Mädchens, Hunde, Pferde, Löwen, seinen Wirt in Antwerpen und den Hafen in Antwerpen, den Tiergarten in
Brüssel und Burgen am Rhein, den Sebastian Brant und die
Mohrin Katharina, die Agnes Dürer in niederländischer
Tracht und später auf dem Rhein, Christus am Ölberg,
eine Türkin, einen singenden Jüngling, St. Christophorus
neunmal auf einem Blatt, Maria, einen Ruderknecht,
Kreuz- und Grabtragung, einen thronenden Bischof und
auf der Rückseite des Blattes einen Hund, ein Fliesen-
muster, das Rathaus zu Aachen und das Münster, Caspar
Sturm mit einer Flußlandschaft und den köstlichen Lau-
tenschlager Hauptmann Felix Hungersperg, und die
schöne Jungfrau von Antwerpen, und viele noch, und
vieles.

Gegen Bücherverbrenner und Bilderstürmer schrieb Dürer: „Also ehren sie Gott mit dem, das wider ihn ist. Gott
habe ein Mißfallen über solche, die Meisterwerke vertil-
gen, die mit großer Mühe, Arbeit und Zeit erfunden wurden. Ach was großer Schmerzen . . ."

Aber Dürer, der so oft den Teufel als den Kameraden
des Todes malt, und mit gleichem Behagen die Hölle wie
den Himmel, sieht die Hölle auch in Rom, schreibt
wie Luther: „Der Hölle Pforten - der römische Stuhl." Und:
„Am Freitag vor Pfingsten im Jahre 1521 kam die Mär
nach Antwerpen, daß man Martin Luther so verräterisch
gefangen genommen hätte . . . Und lebt er noch?"

Dürer heißt den Luther „Christi Nachfolger" und „nie sei ein Volk so gräßlich beschwert gewesen, wie wir Arme unter dem römischen Stuhle." „Und darum sind dieselben, nämlich Martin Luthers Bücher in großen Ehren zu halten, und nicht zu verbrennen; es wäre denn, daß man seine Widersacher, die allzeit der Wahrheit widerstreiten, auch ins Feuer würfe . . ."

Menschen ins Feuer werfen? Spricht derselbe Dürer, der dreizehn Jahre vorher seinen Freund Pirckheimer und sich mitten in sein Gemälde, mitten in die minutiöse „Marter der zehntausend Christen" hineingestellt hat? Dürer schreibt: „ O Erasmus von Rotterdam, wo willst du bleiben? Sieh, was vermag die ungerechte Tyrannei der weltlichen Gewalt, der Macht der Finsternis . . . Höre du Ritter Christi . . . beschütze die Wahrheit, erlange der Märtyrer Krone! Du bist doch ohnedies schon ein altes Männchen. Ich habe ja von dir gehört, daß du dir selbst nur noch zwei Jahre zugegeben habest, die du noch taugest, etwas zu tun . . . Und wenn du darob um eine kleine Weile früher stürbest.

Kennen wir auch diesen Dürer aus seinen Bildern? Mit der Einladung an einen Freund, Märtyrer zu werden?

Im Tagebuch fährt er fort: „Wieder habe ich 1 Gulden zur Zehrung gewechselt. Ich habe dem Doktor wieder 8 Stüber gegeben. Wieder zweimal mit dem Roderigo gegessen. Ich habe mit dem reichen Canonicus gegessen. Ich habe 1 Gulden zur Zehrung gewechselt. Ich habe Meister Konrad, den Bildhauer von Mecheln, zu Gaste gehabt an den Pfingstfeiertagen. Ich habe 18 Stüber für italienische Kunstblätter gegeben. Abermals dem Doktor 6 Stüber . . . Ich bin am letzten Pfingstfeiertag zu Antwerpen auf dem

71

Pferdemarkt gewesen und habe da überaus viele hübsche Hengste vorreiten sehen, und insbesondere sind 2 Hengste gar um 700 Gulden verkauft worden. Ich porträtierte einen englischen Edelmann mit der Kohle, der schenkte mir einen Gulden, den ich zur Zehrung gewechselt habe."

Gibt es viele Tagebücher von Künstlern, die so schonungslos und darum so aufregend wären? Das Tagebuch mit seiner provinziellen Pedanterie wird ergänzt durch das weltläufige Genie des Skizzenbuches.

Dürers Schriften sind Beispiele bildhafter präziser Prosa. Man findet wie in seinen Zeichnungen das mikroskopische Detail, den großen Umriss und den grotesken Zug, die geschwinde Illustration, die farbenstarke Präzision, die dokumentierte Phantasie, das Zusammengesetzte und das Enthüllende, das Zufällige und die großartige Komposition, die scharfen Porträts, die stilisierten und die nackten Selbstporträts.

Freilich findet man auch überall, sogar zwischen den Kapriolen der venezianer Briefe an Pirckheimer, die durchgehende Unzufriedenheit, die stete Mißstimmung, die Empfindlichkeit eines Mannes, dem man unrecht tut, den man trotz allem Ruhm nicht nach Gebühr schätzt und zahlt. Da grollt ein Tasso seinen Tyrannen und falschen Mäzenen. So gekränkt empfindet und spricht der Dürer, der im übrigen so selbstsicher auftritt.

Mit derselben Bitterkeit resümiert Dürer sein eigenes Leben und das Leben der Seinen, die 15 Geschwister, die er überlebt hat. Immer spürt er den Tod am Ellenbogen, den Tod als Bruder, mit dem Teufel daneben. Dürer berichtet die Betrübnis, Anfechtung und Widerwärtigkeit, die der Vater erfahren, und die Armut des Vaters, und die große

Armut, Verspottung, Verachtung, höhnischen Worte, Schrecken und große Widerwärtigkeiten", welche das Leben der Mutter ausgemacht haben, genau wie er sie gesehn, und ein Jahr vor ihrem Tod aufgezeichnet hat. So behielt er sie, im Bild und im Gedächtnis. Und wiederholt: „Auch war sie ganz arm."

An Pirckheimer schreibt er aus Venedig, wo er doch „zum Gentiluomo geworden" sei: „Hier bin ich ein Herr, daheim ein Schmarotzer."

Noch 500 Jahre später feiern die Nürnberger ihre großen Söhne.

Am Ende des Tagebuchs schreibt er: „Ich habe bei allem meinem Machen, Verzehren, Verkaufen und anderer Handlung Schaden gehabt in den Niederlanden in allen meinen Beziehungen zu hohen und niederen Ständen; und insbesondere hat mir Frau Margareth für das, was ich ihr geschenkt und gemacht habe, nichts gegeben." An Kress schreibt er, dem Kaiser Maximilian habe ich drei Jahre lang gedient und das Meinige dabei eingebüßt. An Georg Spalatin schreibt er 1520: „Muß also in meinen älteren Tagen entbehren und meine lange Zeit, Mühe und Arbeit an Seiner kaiserlichen Majestät verloren haben." Dem Rat von Nürnberg schreibt er 1524: „Ich habe auch die dreißig Jahre, die ich zu Haus gesessen bin, in dieser Stadt nicht für 500 Gulden Arbeit bekommen, was ja wahrlich eine geringe und lächerliche Summe ist, und gleichwohl ist noch nicht ein Fünfttheil davon Gewinn."

Welche Bilanz eines Künstlers, vier Jahre vor seinem Tode. Welche Bilanz einer Heimatstadt. Und das war die große Zeit der Stadt Nürnberg, wo ein Pirckheimer im Rat, Dürer im Großen Rat saß.

Eines der liebenswürdigsten Talente Dürers finden wir in seinen Schriften wie Bildern: Sein Talent für Freundschaft. Wir kennen keine Liebesgeschichten Dürers. Pirckheimer hat Dürers Witwe nachgesagt, sie habe ihrem Mann die Hölle bereitet und das Leben verkürzt.

Im Umgang mit Männern hatte Dürer Glück. Groß, wie er sie gezeichnet und gemalt hat, so hat er viel vortreffliche Männer seines Jahrhunderts auch im Umgang gesehen und mit ihnen gelebt, von gleich zu gleich, ein Genie mit seinen Freunden.

Johannes Kepler,
der Gesetzgeber des Universums

Nur der Ehrgeiz halte ihn bei der Arbeit fest, schrieb der „Gesetzgeber des Universums" mit 48 Jahren. „Ich kann auf keine Ordnung halten, binde mich nicht an die Zeit und bin regellos. Wenn etwas Geordnetes von mir herauskommt, ist es zehnmal von Neuem von mir vorgenommen worden. Bisweilen hält mich ein in der Eile gemachter Rechenfehler lange Zeit auf. Ich hätte aber unendlich viel zu sagen, denn wenn mir auch die Lust zum Lesen fehlt, so habe ich dafür eine reiche Phantasie. Aber ich gefalle mir in solchem Durcheinander nicht; es stößt mich ab und verdrießt mich. Ich werfe das Zeug weg oder hebe es auf, bis ich es überprüfe, d. h., bis ich etwas Neues schreibe, was meistens der Fall ist."

Johannes Kepler ward am 27. Dezember 1571 zu Weil der Stadt in Württemberg geboren und starb am 15. November 1630 zu Regensburg in Bayern. Er entstammt einer herunterkommenden Familie. Er hat gelegentlich mit autobiographischer Lust und ohne Schonung von sich berichtet.

Keplers Vater Heinrich sprach viel von seiner Ehre und gegen seine Frau Katharina, eine „kleine, schwarzhaarige Magre, schnippisch und zänkisch, mit ungutem Gemüt", die weder lesen noch schreiben konnte; sie war eine Wirtstochter mit dreitausend Gulden gewesen, er hatte nichts gelernt und soff konstant; der „händelsüchtige, lasterhafte Hitzkopf", wie sein Sohn Johannes ihn hieß, ließ seine Katharina schwanger zurück, samt ihrem Söhnchen Johannes, und ging aufs Neue in die Dienste Albas, in den Niederlanden, Katharina gebar und lief der Armee nach. Da kehrte der Soldat mit Sack und Pack und Weib nach Schwaben heim, hielt es wieder bei ihr nicht aus, ging nochmals in Albas Sold, wurde in den Niederlanden beinahe gehängt, verlor bei einer Explosion beinahe das Leben, und infolge einer Bürgschaft für einen Freund sein Vermögen. Abgebrannt (und angebrannt) kam er heim und pachtete bald das Gasthaus zur Sonne in Elmendingen, bei Pforzheim, Johannes und seine zwei jüngeren Brüder mußten in der Kneipe helfen. Also begann Kepler seine Karriere als Pikkolo.

Später schickte man ihn in die Klosterschule zu Maulbronn, wo er Latein, Griechisch und Psalmen auswendig lernte, zum Spaß jede tollste These bewies, mit seinen Kameraden sich nicht vertrug, und mit achtzehn Jahren in einer Freistelle für Studenten der Theologie im „Stift" der Universität Tübingen landete. Sein Vater überließ das Gasthaus zur Sonne seinen Gläubigern, die sieben Kinder, die er seiner Frau gemacht, ihrem Schicksal, und diente den Neapolitanern im Seekrieg gegen Anton von Portugal.

Kepler lernte in seinen vierundeinhalb Tübinger Jahren durch den ehemaligen Dorfpfarrer Michael Mästlin, einen exzellenten Astronomen, das Copernicanische System kennen und versuchte vergebens, seinen Kommilitonen ebendieses und die christliche Liebe beizubringen; mit gleicher Begeisterung wollte er den jungen Schwaben einreden, die Erde bewege sich um die Sonne, und die Evangelischen sollten sich mit den Reformierten vertragen; beides hat ihm die evangelische Kirche nimmer verziehen. So zerstritt sich dieser sonderbare Prediger der Einigkeit schon damals mit jedermann.

Als die steierischen Landstände die Tübinger theologische Fakultät nach einem Lehrer für Mathematik an der evangelischen Stiftschule zu Graz fragten, empfahl man auf Mästlins Rat den jungen Magister der Theologie Kepler.

Nur unter dem Druck seiner Armut fuhr er (am 13. März 1594) nach Graz, um für 150 Gulden jährlich (samt freier Wohnung und Heizung) arme Buben im Vergil, in Rhetorik und Arithmetik zu unterrichten und gegen weitere 20 Gulden alljährlich den provinziellen Sterngläubigen einen astrologischen Kalender mit Prophezeiungen des Wetters und der Weltereignisse zu liefern.

Wider Erwarten trafen des „landschaftlichen Mathematikers und Kalendermachers" Kepler Prophezeiungen fürs Jahr 1595 ein; obgleich er es blind vorhergesagt, war der Türke wirklich in Österreich eingefallen, der Winter wirklich bitterkalt, der Bauer in jener Gegend wirklich aufsäßig geworden. Er bekam einen Namen als Astrolog, und Geld, weil viele ihre Horoskope bestellten. Kepler schrieb an seinen Lehrer Mästlin: „Ich wollte Theologe werden; lange war ich in Unruhe. Nun aber sehet, wie Gott durch mein Bemühen auch in der Astronomie gefeiert wird."

Mit 25 Jahren nahm er eine Frau; und zog in ihr Haus. Barbara Müller, eines Müllers Tochter, war 23 Jahre alt, und Kepler ihr dritter Mann; hurtig war der erste verschieden, hurtig hatte der zweite sich scheiden lassen. Mit 50 Gulden Zulage, weniger Mitgift als man ihm versprochen, und einer Tochter Regina aus einer vorigen Ehe der Frau, erhielt er sechs Kinder von ihr, und wenig Vergnügen, sie wußte nicht zu wirtschaften, er nicht auszukommen; 1597 hatte er geheiratet, 1598 verlor er seinen Posten.

Als Kepler nach Graz ging, war die Steiermark lutherisch. Ein neuer Despot, der Erzherzog und Jesuitenschüler Ferdinand (später Kaiser Ferdinand II.) hatte seinen neuen Untertanen nichts als eine neue, bzw. ihre alte katholische Religion zu offerieren. 1598 befahl er allen lutherischen Geistlichen und Professoren, Graz und Judenburg binnen acht Tagen zu verlassen. Entsetzt floh Kepler nach Ungarn.

Im Jahr darauf kam er auf ausdrückliche Einladung der steierischen Landesstände zurück, um den Unterricht und die amtlichen Prophezeiungen wieder aufzunehmen. Man erwartete aber, wie sich später herausstellte, daß er katholisch werde; das mißfiel ihm.

Er schreibt (in einem Brief vom 29. August 1599): „Man hat bereits mit der Verbrennung von Bürgern begonnen . . . die Leute vom Hof aber . . . stellen noch Schlimmeres in Aussicht . . . Wer Choräle singt, wer die Bibel Luthers liest, wird verbrannt . . . Mir selbst wurde als Strafe für die Umgehung der städtischen Geistlichkeit eine Buße von 10 Talern auferlegt; die Hälfte wurde nur auf meine Bitten erlassen, die andere mußte ich bezahlen, bevor ich mein Töchterchen zu Grabe tragen konnte."

In Graz hatte Kepler seine Forschungen begonnen. Mit 25 Jahren veröffentlichte er seine erste Schrift „Mysterium Cosmographicum" (1596). Das Weltgeheimnis (oder Geheimnis des Weltbaus). Hier tritt er schon als entschlossener Verteidiger des Copernicanischen Weltsystems auf. Die herrliche Ordnung der Copernicanischen Welt ist ihm Beweis genug für ihre Wirklichkeit. Er schildert seine ersten Versuche, ein Gesetz zu finden, das fürs ganze Sonnensystem gilt. Er mußte nur das Gesetz einer Planetenbahn finden, um die Elemente aller Planetenbahnen zu haben. Sein Weltgeheimnis ist ein mathematisches. Er glaubt, die Zahlenverhältnisse entdeckt zu haben, die den Weltbau zur Darstellung bringen. Er „konnte das intensive Vergnügen, das ihm diese Entdeckung gab, nicht in Worten ausdrücken". (Die Entdeckung war übrigens keine.)

Dieses Weltgeheimnis (das er 25 Jahre später in seiner „Weltharmonie" wieder abdruckte) schickte Kepler vielen Astronomen. Der um sieben Jahre ältere Galilei hat nur erst die Vorrede gelesen, und schreibt am Tage des Empfangs an Kepler: „Ich preise mich glücklich, in dem Suchen nach Wahrheit und als Freund der Wahrheit einen so großen Bundesgenossen wie Dich . . . zu besitzen . . . Denn es ist schlimm, daß die so selten sind, die nach der Wahrheit streben und nicht eine verkehrte Art zu philosophieren verfolgen. Aber es ist nicht hier der Ort, das Elend unseres Jahrhunderts zu bejammern. Ich verspreche, daß ich Dein Werk in Ruhe lesen werde . . . umso lieber, als ich seit vielen Jahren Anhänger der Copernicanischen Anschauungen bin und mir dieselbe die Ursachen vieler Naturerscheinungen aufklärt, welche bei der allgemeinen Hypothese ganz unbegreiflich sind. Ich habe zur Widerlegung der letzteren viele direkte und indirekte Beweisgründe gesammelt, doch wage ich es bislang nicht, sie zu publizieren; denn mich erschreckt das Schicksal von Copernicus, der unser Lehrmeister ist. Er hat sich zwar bei einigen unsterblichen Ruhm erworben, ist aber bei Unzähligen (denn so groß ist die Zahl der Toren) lächerlich und verwerflich geworden. Ich würde es in der Tat wagen, meine Spekulationen zur veröffentlichen, wenn es mehr Deinesgleichen gäbe. Da aber dem nicht so ist, spare ich es mir auf."

Ihm antwortete Kepler: „... Sei guten Mutes, Galilei, und tritt hervor. Wenn ich recht vermute, gibt es unter den bedeutenden Mathematikern Europas wenige, die sich von uns scheiden wollen. So groß ist die Macht der Wahrheit. Wenn Italien Dir zur Veröffentlichung weniger geeignet erscheint und wenn Du dort Hindernisse zu erwarten hast, so wird uns vielleicht Deutschland diese Freiheit gewähren."

Tycho de Brahe rühmte das Genie des jungen Astronomen Kepler, äußerte einige Zweifel an den benutzten Ziffern und bedauerte insgeheim, daß Kepler aufs Copernicanische, statt aufs Tychonische Weltsystem sich gestützt habe. Kepler schrieb an den Rand: Jeder liebt sich selber.

Zu jener Zeit schilderte sich der Sechsundzwanzigjährige als wohlgestaltet, beweglich, mager, modest in Speise und Trank, zufrieden oder gleichgültig, auch im Benehmen. Um das Wohlwollen seiner Herren bemühe er sich wie ein Haushund, grolle ob ihrem Tadel nicht, suche ihre Gunst auf alle Weise. In der Unterhaltung ungeduldig, knurre er wie ein Hund gegen die Gäste. Wolle ihm einer das Geringste nehmen, ergrimme und murre er wie ein Hund. Er sei geizig, verhöhne Ungeschickte, zanke, sei bissig und heftig, unduldsam gegen unsympathische Menschen. Den meisten verhaßt, würde er von ihnen gemieden; nur seine Herren hätten ihn gern, wie einen Haushund. Er habe eine unverschämte Lust am Spott und Spaß. Er verabscheue Bäder, Eintauchungen und Waschungen — wie ein Hund. Sehr groß sei seine Planlosigkeit. Er habe Angst ums Leben, verliere in Gefahr allen Mut. Etwaige Vorzüge seien Rechtschaffenheit, Frömmigkeit, Treue, Ehrgefühl, guter Geschmack. Fatal seien seine Neugier und sein vergebliches Streben nach dem Höchsten.

Kepler hatte dunkle Haare und Augen und eine lange Nase. Ein „schwächliches Siebenmonatskind", hatte er mit zwei Jahren die Blattern, besonders an den Händen; seit der Pubertät litt er an Geschwüren, die ihn zuweilen sogar am Sitzen hinderten; später litt er an Kopfschmerz, an Fieber, an Ausschlägen.

In Prag schreibt der Fünfunddreißigjährige: „Ihr fragt mich nach meiner Krankheit. Es war ein schleichendes Fieber, das von der Galle herrührte und das vierte Mal wiederkehrte, da ich oft Diätfehler machte. Am 29. Mai zwang mich meine Frau in ihrer Rücksichtslosigkeit, endlich einmal meinen Körper abzuwaschen, vor Bädern schreckt sie zurück. Sie tauchte mich in ein Becken mit stark erwärmtem Wasser; die Wärme bekam mir schlecht und beengte mich im Darm. Am 31. Mai nahm ich nach Gewohnheit ein leichtes Abführmittel. Am ersten Juni machte ich einen Aderlaß, ebenfalls nach Gewohnheit; keine Krankheit, ja nicht einmal der Verdacht einer solchen zwang mich dazu. Auch tat ich dies nicht nach einer Vorschrift der Sterndeutung, wie ihr leicht einseht. Als ich Blut verloren hatte, befand ich mich einige Stunden lang sehr wohl; am Abend warf mich ein böser Schlaf wider Willen auf das Bett, ich empfand ein Engegefühl im Darm. Es gelangte nämlich die Galle in den Kopf, am Darm vorbei ... Ich glaube, daß ich zu den Leuten gehöre, bei denen die Gallenblase eine Mündung in den Magen hat; solche Leute sind gewöhnlich kurzlebig."

Als die Gegenreformation ihn aus Graz zu vertreiben drohte, hoffte Kepler „auf irgendeine philosophische Professur" anderswo. Mästlin, den er um eine Empfehlung in Tübingen gebeten hatte, antwortete nach fünf Monaten: „. . . Ich bitte Euch dringend andere zu befragen, klügere und in politischen Dingen einsichtigere Männer, als mich, der ich in diesen Dingen so unerfahren bin wie ein Kind."

Folter und Kerker drohten dem armen Kepler, zwei Kinder waren ihm inmitten aller Verfolgung weggestorben, da kam ein langer Brief von Tycho de Brahe (vom 9. Dezember 1599). Kepler solle nach Prag kommen, als Tychos Assistent.

Kepler fuhr nach Prag und arbeitete probeweise für Tycho auf dem nahen Schloß Benatky. Es war nicht leicht, beide hielten sich für einzig und unersetzlich; Tycho war weltberühmt, Kepler stolz auf sein „Weltgeheimnis". Nach ein paar Monaten überreichte er Tycho ein Memorandum: „Unter welchen Bedingungen ich meine Arbeitskraft dem verehrten Tycho Brahe bei seinen Arbeiten anbieten kann:

1. Jeden astronomischen Auftrag werde ich sorgfältig

ausführen, insofern er sich mit meiner Gesundheit verträgt ...

2. Zum Beobachten habe ich schwache Augen und kein Geschick für mechanische Arbeiten, bei häuslichen und politischen Geschäften stört mein neugieriges und aufbrausendes Wesen, zu langem Sitzen (besonders über eine richtige und eingehaltene Dauer der Gastmähler hinaus) fühle ich mich zu schwach, zumal es auch gesundheitsschädlich ist. Häufig muß ich aufstehen und umhergehen, aus Gesundheitsrücksichten.

3. Da sich häufig astronomische Geschäfte einstellen, welche die Hingabe an eine Arbeit hindern, wird Herr Tycho mir die philosophische Freiheit gestatten, und mit mir den Tag teilen. Wenn ihm der Vormittag paßt, so werde ich nachmittags meinen Einfällen folgen ...

4. Er wird mir sehr viel Urlaub für den Gottesdienst und für eigene Geschäfte geben."

Bis Juni blieb Kepler auf Schloß Benatky, gegen Versprechungen Brahes, den Umzug und jährlich hundert Taler Zulage zu zahlen, und ein kaiserliches Handschreiben zu erlangen, das Keplers steierisches Gehalt für zwei Jahre sicherte.

Kaum war Kepler wegen des Umzugs in Graz angekommen, schrieb er an Mästlin, „so soll ich für jetzt (unter Androhung sofortiger Entlassung) die Astronomie beiseite schieben und mich der Medizin widmen ..."

Am 31. Juli 1600 wurden tausend Bürger und Einwohner der Stadt Graz in der Kirche, unter dem Patronat des Erzherzogs Ferdinand und des Bischofs, einzeln aufgerufen und nach ihrem Glaubensbekenntnis befragt. Wer nicht katholisch war, oder sich bereit erklärte, binnen kurzem katholisch zu werden und zur Beichte und Kommunion zu gehen, wurde des Landes verwiesen und mußte von allem Besitz den Zehnten zahlen. Kepler wurde am 2. August verhört, und da er sich weigerte, katholisch zu werden, am 7. August 1600 ausgewiesen, der fünfzehnte von 61, die man ihres Glaubens wegen vertrieben hat. Binnen 45 Tagen mußte jeder auswandern. Kepler schrieb am 19. September 1600 an Mästlin: „Wer seine Heimat liebt, wird sie verlieren ... Ich möchte mit meiner Familie zu Schiff auf der Donau zu Ihnen kommen, wenn Gott mich alles überstehen läßt. Ich würde Arzt werden, wenn Sie mir vielleicht zu einer kleinen Professur verhelfen. Denn wahrhaftig: Ich, der ich reich zu werden hoffte, bin nun bettelarm geworden. Ich heiratete eine wohlhabende Frau; ihre ganze Verwandtschaft hat dasselbe Los. Ihre gesamte Habe besteht in Liegenschaften und die sind jetzt äußerst billig, ja sogar unverkäuflich. Alles lauert darauf, sie ohne Bezahlung zu bekommen. Der Fürst (Erzherzog Ferdinand) gab nämlich einen Erlaß heraus, niemand dürfe seinen Besitz, sofern er ihn nicht binnen 45 Tagen verkauft, an einen Papisten verpachten."

Mästlin erwiderte: „So weiß ich in der Tat bei diesen Schwierigkeiten keinen Rat. Nur das Eine, was Ihr am Schluß Eures Briefes erbittet, tue ich mit allem Fleiß, für Euch und die Eurigen beten."

Kepler antwortete: „Ich hätte nicht geglaubt, daß es so süß ist, in Gemeinschaft mit etlichen Brüdern für die Religion . . . Schaden und Schimpf zu erleiden, Haus, Äcker, Freunde und Heimat zu verlassen. Wenn es sich beim eigentlichen Martyrium und bei der Hingabe des Lebens ebenso verhält und das Frohlocken umso größer ist, je größer der Verlust, so ist es ein Leichtes, für den Glauben auch zu sterben."

Er hatte schon 1598 an Herwart geschrieben: „Ich nahm die Augsburger Konfession und ich halte an ihr fest. Ich habe es nicht gelernt zu heucheln. Mit der Religion ist es mir ernst, ich spiele nicht mit ihr." Kepler versicherte: „Darüber zürnen die Geistlichen mit mir, die Weltlichen aber schelten mich einen Narren." Im September verließ er Graz, ließ in Linz seine Habe, kam am 19. Oktober 1600 mit Frau und Stieftochter in Prag an, ein Flüchtling, ohne das steierische Gehalt. Er schrieb an Mästlin: „Tycho verspricht mir viel ... Aber ich muß nun schon hierbleiben, bis ich mich entweder erhole oder sterbe ... Ich bitte Sie inständig, verehrter Lehrer, dringen Sie darauf, daß ich eine freie Stelle (an der Tübinger Universität erhalte ... Tycho philosophiert ziemlich querköpfig. Tychos größte Leistungen sind seine Beobachtungen."

Der Kaiser wollte keinen zweiten Sternforscher bezahlen. Kepler hatte Ekzeme. Seine Frau schrieb bekümmert: „In Prag ist alles viermal so teuer!" Die Arme ward trübsinnig. Kepler schrieb an Mästlin: „Mir tut meine Frau leid, die bei mir ist." Kepler durfte in der Not keinen ihrer Becher versilbern. Sie hatte nur Sinn für ihre Betbücher und verachtete ihren Mann, weil ihr Vater, der Müller, mehr Geld gemacht hatte. Kepler antwortete ihr nicht einmal auf die wichtigsten Fragen im Haushalt (er saß über Berechnungen der Marsbahn). Mann und Frau zankten. Doch gestand Kepler: „Wan ich gesehen, das es ir zu hertzen gehet, und nit ein zorn dabey, hett ich mich ehe in einen finger gebissen, den das ich sie solte weitter belaidiget haben." Die Arme ward fallsüchtig, ward schwermütig, „nicht selten geistig verwirrt und von Sinnen", wie Kepler 1612 an Tobias Scultetus schrieb, wo er den Tod seines sechsjährigen Söhnchens und seiner Frau beklagte, die am ungarischen Fleckfieber starb, angesteckt, als sie andere Kranke pflegte.

Seit seiner Ankunft in Prag berechnete Kepler die Bewegungen der Planeten Mars, Venus und Merkur. Auf Grund der Himmelsbeobachtungen Tychos kam er zum Schluß, man habe bisher die Planetenbahnen falsch dargestellt. Die riesigen Himmelsbeobachtungen, die Tycho ein Leben lang mit wahrem Bienenfleiß gesammelt hatte, sollte Kepler zum Fundament des tychonischen Weltsystems machen. Tycho hatte das Copernicanische Weltsystem als absurd verworfen. Er hatte die scholastische Vorstellung von kristallenen, soliden Sphären zerstört. Er hatte ein drittes Weltsystem geschaffen. In Übereinstimmung mit den Heiligen Schriften hatte er die Erde unbeweglich gelassen.

Aber Kepler, ein Copernicaner, benutzte die Lebensarbeit von Tycho de Brahe zur Ausbildung des Copernicanischen Systems.

Copernicus und Tycho waren die letzten großen Astronomen, die alle Berechnungen und Beobachtungen ohne Teleskop, ohne Logarithmentafeln, ohne Pendeluhren (für genaue Zeitmessung) machten.

Tycho de Brahe, der älteste Sohn des Dänen Otto Brahe, kam 1546, drei Jahre nach des Copernicus Tod, auf dem Familiengut Knudstrup zur Welt. Sein Onkel Jörgen stahl ihn, als er kaum ein Jahr alt war. Mit sieben Jahren begann Tycho Latein zu lernen, mit dreizehn in Kopenhagen Philosophie zu studieren, um auf Wunsch des Onkels Staatsmann zu werden. Doch sah der Knabe etwas Göttliches darin, als eine von Astronomen für den 21. August 1560 vorausgesagte Sonnenfinsternis pünktlich eintraf. Menschen kannten so akkurat die Bewegungen der Sterne, um lange zuvor ihre Örter und relativen Positionen zu prophezeien? Für zwei Taler kaufte Tycho die Werke von Ptolemäus, studierte sie drei Jahre, zog mit seinem um vier Jahre älteren Hofmeister Vedel an die Leipziger Universität, lief aber, statt jus zu studieren, zu den Professoren der Mathematik, kaufte astronomische Bücher und Instrumente und lernte die Namen der Konstellationen an einem faustgroßen Himmelsglobus, freilich nur, wenn Vedel schlief. Anhand der Alfonsinischen und der Preußischen Tafeln fand Tycho bald heraus, daß die Planeten nicht dort standen, wo die Tafeln angaben. Mit 16 Jahren erkannte Tycho, was kein Astronom bisher gewahrt hatte, daß nur fortgesetzte Beobachtungen die Planetenbahnen und damit das wahre Weltsystem besser erkennen ließen.

Anläßlich einer Konjunktion von Saturn und Jupiter machte er am 17. August 1563 (mit 17 Jahren) seine erste notierte Beobachtung und konstatierte, daß die Alfonsinischen Tafeln um einen ganzen Monat, die Preußischen Tafeln um einige Tage sich irrten, Kepler sagte, „die Restauration der Astronomie sei zuerst von diesem Phönix der Astronomen, Tycho, im Jahre 1564 konzipiert und beschlossen worden".

Der Neue Stern von 1572, in der Kassiopeia, den Tycho als einziger systematisch beobachtet und beschrieben hat, bewog ihn definitiv zur neuen Katalogisierung des Sternenhimmels.

Als er noch zu Bette lag, am frühen Morgen des 11. Februar 1575, in seinem Haus zu Knudstrup, da kam ein Junker vom Hofe. Der König offerierte Tycho die Insel Hveen und Geld, dort ein Haus zu bauen, und eine Lebensrente, damit er sich sorgenlos seinen mathematischen und atronomischen Studien widmen könne.

Vier Tage später fuhr Tycho nach Hveen und machte am selben Abend seine erste Beobachtung dort, nämlich einer Konjunktion von Mars und Mond — er sollte mehr zur Kenntnis der Bahnen des Mondes und des Mars beitragen als irgend ein Astronom seit den Tagen des Ptolemäus.

Auf der „Venus-Insel vulgo Hvenna" baute er sein in Europa berühmtes Haus und Observatorium, Uraniborg — die Himmelsburg, und 1584 ein neues Observatorium, Stjerneborg.

Als Tycho 1577 zu einem seiner Fischteiche ging, um einen Fisch fürs Abendessen zu fangen, entdeckte er am Himmel den Kometen von 1577. In seinem Buch über diesen Kometen, das er zu Hveen 1587 druckte, beschreibt Tycho, „der nichts ungeprüft akzeptierte", in seinem achten Kapitel sein eigenes System der Welt. Es gibt noch heute einige Anhänger dieses dritten astronomischen Weltsystems.

1598 schätzte Tycho seine Gebäude und Instrumente auf 75 000 Taler. Er hatte Gärten und Fischteiche angelegt, errichtete eine Papiermühle und eine Druckerei. Er empfing oft gelehrte Besucher und lebte mit seiner großen Familie und zahlreichen Schülern und Assistenten zwanzig Jahre lang wie ein großer Herr auf seiner kleinen Insel.

Nachdem der dänische König Frederik II. 1588 sich zu

Tode gesoffen hatte, begannen unendliche Plackereien des folgenden unmündigen Dänenkönigs und seiner Räte gegen Tycho. Man nahm ihm Präbenden und die anderen Einkünfte weg, führte Prozesse gegen ihn, klagte seinen Pfarrer zu Hveen der Ketzerei und den Tycho wegen seines allzu seltenen Kirchenbesuchs an. Man gab seinen Bauern auf Hveen, die sich über Tychos Härte und Frechheit beklagten, nach ausführlichen Untersuchungen recht (sie hatten recht!) und vertrieb schließlich den größten Dänen aus seiner Heimat. Er ging ins Exil.

Lange zuvor hatte er in lateinischen Versen geschrieben, jeder Boden sei das Vaterland der Tapfern, überall stünden zu Häupten die Himmel.

Im Juni 1599 war Tycho nach Prag gegangen. Er ließ sich zuerst auf Schloß Benatky und bald in Prag nieder, als Astronom, Astrolog und Alchimist des Kaisers Rudolf II. Kepler arbeitete 20 Monate mit Tycho und zankte oft mit dem stolzen Mann, der ihn wie einen Freund gefördert und wie einen Abhängigen behandelt hat.

Am 24. Oktober 1601 starb Tycho de Brahe in Prag, 54 Jahre und 10 Monate alt. In seiner letzten Nacht hatte Tycho wie einen Refrain wiederholt: Ne frustra vixisse videar? Werde ich nicht aussehen, als hätte ich umsonst gelebt? Gassendi, Tychos Biograph, hieß ihn den größten beobachtenden Astronomen.

Seine Familie schaffte die Instrumente beiseite, diese „Weltwunder" gingen verloren. Über den wissenschaftlichen Papieren, die Kepler an sich genommen hatte, begann die Familie einen langen Finanzstreit mit Kepler und dem Kaiser.

Kepler erhielt schließlich Tychos Himmelsbeobachtungen zu treuen Händen, königliche Schätze, wie Kepler sagte; die Astronomie hätte er ohne sie nicht erneuern können. Kepler glaubte, nie würde man genauere Beobachtungen machen — der „Vater der Optik" sah das Teleskop nicht voraus. Bald hielt er selber ein Teleskop in Händen, das nach seinen Anweisungen gefertigt wurde, das „Keplersche Teleskop".

Mit 30 Jahren war Kepler der geistige Erbe Tychos und sein Nachfolger. Um Tychos Berechnungen zu Ende zu führen und seine Planetentafeln herzustellen, ward Kepler zum kaiserlichen Mathematiker ernannt. Er triumphierte.

Aber der große Tycho de Brahe hatte 3000 Gulden im Jahr erhalten. Franz Tengnagel, Tychos Schwiegersohn, ein deutscher Adliger, setzte durch, daß tausend Gulden Gehalt die Leibeserben Tychos de Brahes für die Hergabe seiner wissenschaftlichen Papiere empfingen. Keplers Gehalt betrug nur 500 Gulden, und wurde schon das erste Mal um fünf Monate zu spät ausgezahlt. Seine Briefe mischen seine Sorgen um die Sterne mit Geldsorgen. Er mußte „sein Brot vom Kaiser erbetteln".

Er schrieb über seine zwölf Prager Jahre: „Hohe Ehren und Würden gibt es bei mir nicht. Ich lebe hier auf der Bühne der Welt als einfacher Privatmann. Wenn ich einen Teil meines Gehalts bei Hof herauspressen kann, bin ich froh, nicht ganz aus eigenem leben zu müssen. Im übrigen stelle ich mich so, wie wenn ich nicht dem Kaiser, sondern dem ganzen Menschengeschlecht und der Nachwelt diente. In dieser Zuversicht verachte ich mit geheimem Stolz alle Ehren und Würden und dazu, wenn es nötig ist, auch jene, die sie verleihen. Als einzige Ehre rechne ich es mir an, daß ich durch göttliche Fügung an die Tychonischen Beobachtungen gesetzt worden bin."

1610 hat Galilei seine ersten teleskopischen Entdeckungen im „Sternboten" publiziert. Aber schon 1609 hat Kepler seine ersten beiden Gesetze (über Form und Art der Planetenbewegungen) in seinem Buch mit dem stolzen Titel „Neue Astronomie" veröffentlicht. Dort hat er die Geschichte seiner Entdeckungen „mit unschätzbarer Ausführlichkeit" erzählt. Für die Marsbahn (die schon den Copernicus verdrossen und dessen Schüler Rheticus verstört hatte) berechnete er Tafeln, wofür er in mindestens vierzig Fällen je 181 mal die gleiche Rechnung durchführen mußte.

Die drei Weltsysteme von Ptolemäus, Copernicus und Tycho de Brahe hatten sich nicht vom Aberglauben losmachen können, der Kreis sei das vollkommene Gebilde und die Planeten könnten sich nur auf die vollkommene Weise, also im Kreise bewegen. Die Änderungen der Geschwindigkeit der Planetenbewegungen könnten nur eine scheinbare Ungleichförmigkeit sein (die sogenannte erste Ungleichheit der antiken Astronomie). Die Astronomen hätten die wahren gleichförmigen Bewegungen zu entdecken. Die wirklichen Bewegungen der Planeten also in exzentrischen Kreisen. Daher erfanden Ptolemäus, Copernicus und Tycho diese sinnverwirrenden Epizykel und Exzenter, die zu den kontorsionistischen Tänzen der Planeten führten. Kepler stellte Hypothese nach Hypothese auf, um einen Kreis zu finden, der den Beobachtungen von Tycho entsprechen würde.

Kepler hat durch Tychos Kometenschriften gelernt, daß

93

es keine festen Himmelssphären der Planeten gibt; also sieht er in der Sonne auch das Zentrum und *die Quelle* der Bewegung der sie umgebenden Planeten. In der Sonne selbst treffen sich die Linien, die für jeden einzelnen Planeten die Punkte seines größten und kleinsten Abstandes verbinden.

Kepler entwarf ein peinliches geometrisches Schema der Beobachtungen Tychos unter der Voraussetzung, daß Tycho sich nie über acht Bogenminuten hinaus geirrt habe. Und Kepler erklärt: „. . . Nur diese acht Bogenminuten haben zur vollkommenen Reformation der Astronomie geführt." Wollte man nämlich die Beobachtungen Tychos getreu gelten lassen, so ergab die Marsbahn unmöglich einen Kreis. Also suchte Kepler irgend eine andere Form.

Mit einem „himmlischen Entzücken" fand er gegen Ende des Jahres 1604 in der einfachsten ovalen Kurve, der vollkommenen Ellipse, die wahre Form der Marsbahn.

Das erste Keplersche Gesetz lautet: Der Planet beschreibt eine Ellipse, in deren einem Brennpunkt die Sonne sich befindet. „Ich gebe eine Himmelsphilosophie oder Himmelsphysik anstelle der Himmelstheologie oder Himmelsmetaphysik des Aristoteles", schrieb Kepler am 4. Oktober 1607 an den Arzt Brengger in Kaufbeuren. „Ich habe", schrieb er schon 1605, „seit 5 Jahren mindestens die Hälfte der Zeit, die mir die Geschäfte bei Hof übrig ließen, auf *physikalische* Überlegungen verwandt."

Kepler weiß, daß seine Thesen der Bibel widersprechen. Wer an der Bibel wörtlich festhalten wolle, sagt er, „der möge die Schule der Astronomie verlassen und ruhig seinen Geschäften nachgehen."

Die Sonne, sagt Kepler, und zitiert den Giordano Bruno, ist „wahrhaftig der Apollo".

Später beobachtete Kepler, daß der Mars sich nahe der Sonne rascher bewegte, und fern der Sonne langsamer. Das zweite Keplersche Gesetz formuliert: Die gerade Linie zwischen dem Planeten und der Sonne durchmißt in allen gleichen Zeiträumen gleiche Strecken.

Zehn Jahre nach der Veröffentlichung der ersten beiden Gesetze machte er sein drittes Gesetz bekannt, das er wie in einem Augenblick der Inspiration am 15. Mai 1618 gefunden hatte, daß nämlich die Quadrate der Umlaufzeiten zweier beliebiger Planeten proportional zu den Kuben ihrer mittleren Distanzen von der Sonne seien.

Und so verkündete er seine Entdeckung: „Was ich vor 22 Jahren prophezeit habe; was ich fest geglaubt habe, bevor ich noch die Harmonien von Ptolemäus gesehen hatte; was ich meinen Freunden im Titel dieses Buches versprochen habe, das ich benannte, bevor ich noch meiner Entdeckung sicher war, was ich vor sechzehn Jahren als die erstrebenswerte Sache urgierte; weshalb ich mich zu Tycho Brahe gesellte; warum ich in Prag mich niederließ; weshalb ich den besten Teil meines Lebens astronomischen Betrachtungen geweiht habe; — das habe ich endlich ans Licht gebracht und seine Wahrheit über meine höchsten Erwartungen hinaus erkannt ... Es sind jetzt achtzehn Monate her, daß ich den ersten Schimmer des Lichts gewahrte; drei Monate seit der Dämmerung; ein paar Tage nur, daß die unverhüllte Sonne in ihrer wunderbaren Pracht über mir aufgegangen ist, nichts hält mich mehr. Ich will mich meiner heiligen Raserei überlassen. Ich will über die Menschheit mit dem ehrlichen Geständnis triumphieren, daß ich die goldenen Gefäße der Ägypter gestohlen habe, um meinem Gott ein Tabernakel zu errichten, weitab von den Gefilden Ägyptens. Wenn ihr mir vergebt, so frohlocke ich; wenn ihr zürnt, so kann ich es tragen. Denn der Würfel ist gefallen, das Buch ist geschrieben, um jetzt oder von der Nachwelt gelesen zu werden; was kümmert es mich. Ich kann sehr wohl ein Jahrhundert auf einen Leser warten, da ja Gott sechstausend Jahre auf einen Entdecker gewartet hat."

Dieses dritte Planetengesetz erscheint unvermittelt in seinem Buch „Harmonia Mundi" (Weltharmonie, Linz 1619), das (angeregt durch eine Ptolemäische Schrift) die Harmonie in der Musik, in geometrischen Figuren, im menschlichen Leben und in den Sphären behandelt. Er hat sein Buch dem König Jakob I. von England gewidmet.

Kepler will auch die Beziehungen zwischen Geist und Materie klären, und wird darüber dunkel . . . „Und ich habe immer mit offenem Sinn und gemäß der Vernunft die Natur des Geistes erforschen wollen, und insbesondere, ob es nicht eine Weltseele im Herzen der Welt gebe, die tiefer mit den Naturprozessen verbunden sei . . ."

Kepler, damals ein Animist, wie Giordano Bruno, schilderte hier die Erde als ein großes Tier, mit Herz, Lungen, Begierden.

Etwa zur selben Zeit erschien sein „Grundriß der Copernicanischen Astronomie" (Epitome Astronomiae Copernicanae, Linz, 1618, 1620 und 1621), der die stärkste Verteidigung der neuen Lehre war und also prompt auf den Index kam. In einem Vorwort sagt er: „Ich baue die ganze Astronomie auf die Hypothesen des

Copernicus, auf die Beobachtungen Tycho Brahes und endlich auf die magnetische Philosophie des Engländers William Gilbert." Unterm Einfluß der magnetischen Lehre Gilberts (in „De Magnete", 1600, London) schrieb Kepler: „Was ist es denn, was die Planeten um die Sonne reißt? Was ist es anders als ein magnetischer Ausfluß der Sonne? Was ist es aber, was die Planeten bezüglich der Sonne exzentrisch macht, was sie zwingt, sich der Sonne zu nähern und sich von ihr zu entfernen? Eben ein magnetischer Ausfluß aus den Planetenkörpern selbst, sowie die Richtung ihrer magnetischen Achsen."

In diesem Buch konstatierte Kepler auch, daß seine Gesetze nicht nur für alle Planeten und den Mond, sondern auch für die eben von Galilei entdeckten Trabanten des Jupiter galten. Den Sternenhimmel setzte Kepler in eine Entfernung von 420 000 Millionen Meilen; er glaubte noch, die Fixsterne seien an eine solide Sphäre fixiert, die ihren Mittelpunkt in der Sonne hätte und „zwei deutsche Meilen dick war."

1619 erschien auch sein Traktat über Kometen, wo er neue Ideen mit Astrologie mischte. Im Gegensatz zu seinem Lehrer Mästlin, der es verächtlich ablehnte, Horoskope zu stellen, tat es Kepler fleißig, nur tadelte er sich dafür: „Ich war gezwungen, einen schnöden Kalender mit Prophezeiungen zu fabrizieren, was kaum respektabler als Bettelei ist, nur daß es des Kaisers Kredit spart, der mich ganz im Stich läßt und mich Hungers sterben lassen würde."

Dank seinen drei Gesetzen konnte Kepler die Auswertung von Tychos Beobachtungen glücklich beenden. 1627 erschienen zu Ulm die Rudolfinischen Tafeln (Kaiser

Rudolf zu Ehren benannt). Der Großherzog von Toskana schickte Kepler eine goldene Kette.

So hat Kepler die Forderungen erfüllt, die er als Dreißigjähriger aufgestellt hatte: „Wer die Bewegungen und Örter der Gestirne so vollkommen wie möglich voraussagt, der erfüllt seine Pflicht als Sternforscher; aber noch mehr leistet und noch größeres Lob verdient, wer außerdem wahre Sätze über die Form der Welt aufstellt. Jener nämlich erschließt die Wahrheit, sofern sie sinnlich erfaßbar ist; dieser genügt durch seine Schlüsse nicht nur dem Sehen, sondern deckt auch das innerste Wesen der Natur auf."

Das größte Verdienst des Mathematikers Kepler war sein Beitrag zur Erfindung der Infinitesimalrechnung. Der Physiker Kepler hat mit seinen drei Keplerschen Gesetzen und der Ahnung der im Sonnensystem wirkenden Kraft den Weg zu Newton eröffnet. Übrigens war er auch in der Optik ein Vorläufer Newtons, mit seinen beiden Büchern über „Optik als Teil der Astronomie", von 1604, und „Dioptrik", von 1611.

Kepler, von dem Schiller sagte, daß er „größer als das Schicksal" war, schrieb: „Heilig war Lactantius, der leugnete, daß die Erde rund sei. Heilig war Augustinus, der zugestand, daß die Erde rund sei, aber die Antipoden leugnete. Heilig ist die Liturgie unsrer Modernen, die die Kleinheit der Erde zugestehen, aber ihre Bewegung leugnen: Aber für mich ist heiliger als alle diese die Wahrheit, die mit allem Respekt für die Doktoren der Kirche durch die Philosophie demonstriert, daß die Erde sowohl rund als auch von Antipoden bewohnt ist, und von einer höchst verächtlichen Kleinheit, und mit einem Wort, unter den Planeten rangiert." Für Kepler galt, wie er sagte, „nur das Gewicht der Tatsachen und der Vernunftsgründe, nicht das Gewicht der Autorität."

In seinem vierzigsten Jahr verlor Kepler seine Frau, einen Lieblingssohn, und einen Kaiser; Rudolf mußte damals abdanken und starb im Jahr darauf. Um seinen Astrologen bei sich zu behalten, hatte er Kepler nicht die Professur in Linz annehmen lassen. Matthias, der neue Kaiser, der keinen Astronomen brauchte, ließ ihn ziehen, ließ ihm den Titel eines kaiserlichen Mathematikers, setzte aber das Gehalt auf 350 Gulden herab. Keplers alte Forderungen an die kaiserliche Kasse wurden in Städte-Obligationen umgewandelt, Memmingen und Kempten gaben Schuldscheine, Nürnberg, eben von Wallenstein ausgeplündert, erklärte sich bankrott. Zuletzt übertrug man die 12 000 Gulden an Wallenstein; auch dieser zahlte nichts.

Von seinem vierzigsten bis fünfundfünfzigsten Jahr war Kepler Mathematiker der Landschaftsschule von Linz mit einem Gehalt von 400 Gulden jährlich. Dafür sollte er auch eine Landkarte von Oberösterreich herstellen; zuweilen mußte er zum kaiserlichen Hof gehen, oder den Kaiser auf Reisen begleiten.

Bald nach dem Tod der ersten Frau nahm Kepler eine zweite. Sachlich prüfte er alle Weiber, die er kannte, oder die man vorschlug, elf nahm er in Aussicht, aber eine Witwe roch aus dem Mund, eine ihrer beiden Töchter ward zu jung befunden, eine andre war zu groß und athletisch, die zehnte zu klein und zu fett, die siebente lehnte ihn ab, die achte war zu wankelmütig, die neunte so häßlich, daß man ihr auf der Straße nachstarren würde, eine mitgiftlose Adlige „mußte etwas aufwendiger unterhalten werden" und war lungenkrank, die elfte war nicht genug erwachsen, schließlich kehrte er zur fünften Kandidatin zurück, „und gab und empfing das Treueversprechen." Es war die Tochter eines Kistenmachers aus Efferdingen, 24 Jahre alt, Susanne Reuttinger; eine Gräfin Starhemberg hatte zwölf Jahre lang sie erzogen. Kepler schrieb über sie, in einem Brief an einen Freiherrn, seinen Freund, den er zur Hochzeit einlud: „Ihr Körperbau und ihre Sitten passen zu mir. Kein Hochmut, keine Verschwendungssucht. Sie hat Geduld für die Arbeit. Sie hat eine mittlere Kenntnis der Haushaltung. Sie ist in mittleren Jahren (sie war 18 Jahre jünger als Kepler) und hat einen Verstand, der fassen kann, was ihr noch fehlt."

Am 30. Oktober 1613 feierte er die Hochzeit, er hatte im Lauf der Jahre sieben Kinder von ihr, insgesamt hatte er dreizehn Kinder, und keines erbte das Genie des Vaters.

Johannes Kepler hatte auch in Linz Verfolgungen wegen seiner Religion zu erleiden. Der evangelische Hauptpfarrer Daniel Hitzler verweigerte ihm das Abendmahl. Damit schloß er ihn von der Gemeinde aus und brandmarkte ihn als Ketzer. Nun drohten die Linzer, ihn auszutreiben. Viele seiner Landsleute hießen diesen großen Schwaben ein „Schwindlhirnlein". In Linz stellte ihm der Jesuit Guldin, selber ein Konvertit, höchste kaiserliche Gnadenbeweise in Aussicht, wenn er nur katholisch würde. Dabei war Kepler ein wahrhaft weltfrommer Mann, sah in Gott den liebevollen Schöpfer des Weltalls, hielt die ganze Welt für beseelt, sogar Pflanzen, und Gott für den Vater der Menschen, und verfaßte sogar Erbauungsschriften fürs Hausgesinde. Kepler sagte, Gott habe bei der Erschaffung der Welt „Geometrie getrieben". Als Kaiser Ferdinand in Oberösterreich die Gegenreformation durchführte, kam es zu Bauernunruhen und zur Belagerung von Linz. Keplers Bücherei wurde versiegelt. Kepler schrieb an Guldin: „Man verlangt, ich selbst solle jene (ketzerischen) Bücher heraussuchen, die abgeliefert werden müssen. Kurz, die Hündin soll eines ihrer Jungen hergeben. Solch eine Gemeinheit schreit zum Himmel." Kepler fuhr umher, um einen neuen Posten und Drucker für seine Schriften zu finden. Eine Berufung nach Bologna, eine Einladung nach England lehnte er ab. An die Universität von Bologna, wo er der Nachfolger des berühmten Mathematikers J. A. Magini werden sollte, schrieb er 1617: „Ich bin ein Deutscher, der Abstammung und der Gesinnung nach, in deutscher Sitte erzogen und an sie gebunden . . . wenn mich auch der Ruhm reizt . . . und mir Hoffnung auf eine bessere Stellung winkt . . . so ist doch . . . der Teil des Lebens vorüber, in dem man durch eine neue Umwelt angeregt wird und die Schönheiten Italiens begehren möchte oder sich einen langen Genuß davon versprechen könnte. Dazu kommt, daß ich von Jugend an bis in mein gegenwärtiges Alter als Deutscher unter Deutschen eine Freiheit in Gebaren und in der Rede genossen habe, deren Gebrauch mir wohl, wenn ich nach Bologna ginge, leicht wenn nicht Gefahr, so wenigstens Schmähungen zuziehen, Verdacht erregen und mich den Angebereien beschränkter Köpfe aussetzen könnte. Ihr werdet es mir daher, glaube ich, nicht verübeln, wenn ich . . . einer vielleicht überflüssigen Vorsicht folge."

Kepler erzählt da in wenig verhüllten Worten den Bolognesen, er wolle ihnen ersparen, ihn der Inquisition auszuliefern, wie die Florentiner den Galilei 1615, oder ihn gar zu verbrennen, wie die Römer den Giordano

Bruno im Jahr 1600. Noch 1608 schrieb Kepler an Johann Georg Brengger: „... ich hörte durch Herrn Wakher, daß Bruno in Rom verbrannt wurde. Er soll bei der Hinrichtung standhaft gewesen sein. Er hat die Nichtigkeit aller Religionsformen behauptet und das göttliche Wesen in die Welt, in Kreise und in Punkte umgewandelt ..."

Immerhin kostete es den Kepler zur selben Zeit die äußerste Anstrengung, zu verhindern, daß man zu Hause in Schwaben seine alte Mutter als Hexe verbrenne. Zu ihrer Verteidigung schrieb er im Sommer 1617 an den Vizekanzler in Stuttgart: „... seit in dem Leonberger Gebiet Hexen aufgegriffen wurden und ihre schändlichen Künste sich allmählich unter dem einsichtslosen und abergläubischen Volk daselbst verbreiteten, trat in Leonberg ein Weib, Ursula Reinhold auf, das im Kopf nicht ganz richtig und wegen einer Bestrafung für öffentliche Unzucht verrufen war. Sie war früher anläßlich eines Geschäfts mit meinem Bruder, einem Zinngießer in Streit geraten, wobei ihr, wie es zu gehen pflegt, zuerst von meinem Bruder, und dann auch von meiner Mutter ihre Schandtaten vorgeworfen wurden. Seitdem hatte sie einen unversöhnlichen Haß auf diese. Von ihm getrieben, fing sie in Erinnerung an Geständnisse von Hexen über ähnliche Übeltaten an, meine Mutter bei den Leuten der Giftmischerei zu beschuldigen, indem sie behauptete, diese habe ihr einmal einen Trunk gereicht, auf den sich sofort eine Krankheit im Kopf eingestellt hätte. Das Gerücht ist ein Übel, das schneller um sich greift, als jedes andere. Sogleich verbreitete sich im Geheimen unter dem höchst abergläubischen Volk dieser Verdacht. Eine Bestätigung suchte man in dem Alter meiner siebzigjährigen Mutter und in einigen Fehlern, die ihr anhafteten, als da sind Schwatzsucht, Neugier, Jähzorn, Bösartigkeit, Klagsucht, Fehler, die in diesem Alter an jenem Ort häufig sind.

Daher begann man, der Begegnung mit meiner Mutter eine schlimme Bedeutung beizulegen und ihr in unbestimmten Gerüchten die Schuld am Tod einiger Haustiere zuzuschreiben. Jene verrückte Person . . . wandte sich am 14. August 1615 an den Vogt, wobei ihr Mann und ihr Bruder, ein Tübinger Bürger, Chirurg und Barbier der jungen Prinzen, der an jenem Tag zufällig mit einem von diesen in Leonberg war, ihr Beistand leisteten. Meine Mutter wurde herbeigerufen, den Klagen gegen sie Gehör geschenkt. Meine Mutter verteidigte sich, indessen der Barbier mit argen Verwünschungen und schrecklichen Drohungen den Tatbestand verwirrte. Schließlich streifte er mit dem blanken Säbel die Brust meiner Mutter und schwor mit Verwünschungen, sie würde von seiner Hand fallen, wenn sie nicht seine Schwester gesund machen würde. Nachdem der Vogt lange zugesehen hatte, gebot er dem Streite Einhalt. Meine Mutter konnte das Geschehnis nicht ungesühnt lassen, sonst hätten andere dieses Beispiel nachahmen und weitere derartige Verdachtsgründe vorbringen können. Sie strengte eine Klage an."

Vor Ablauf eines Jahres sollten ihre Zeugen vernommen werden, da kam es zu einer amtlichen Anzeige gegen sie, weil eine gewisse Burga, eine Schuldnerin der Frau Kepler, behauptete, Frau Kepler habe ihr achtjähriges Töchterchen behext. Die Burga griff die Mutter Keplers mit blankem Messer an und schrie, die Hexe solle ihre Tochter wieder gesund machen.

Dem Vogt, der die Anzeige erstattete, hatte Keplers

Mutter einen silbernen Becher als Geschenk versprochen, falls er die Anzeige zurückziehe. Darauf erklärte er, er werde die Mutter Keplers verhaften und zur Folter führen.

„Was sollte mein Bruder" (schreibt Kepler weiter) „und mein Schwager, Pfarrer Binder in Heumaden tun, da sie bereits große Ausgaben gemacht hatten und jeder für seine Sicherheit besorgt sein mußte? Sie hielten Rat und redeten darauf meiner Mutter zu, nach Linz zu mir zu gehen, da ich sie schon früher ernstlich eingeladen hätte. Die Mutter gehorchte, wenn auch recht ungern, und reiste bis Ulm. Allein da trat frühzeitig große Kälte ein und so reiste sie wieder heim . . . Mein Bruder führte sie fort, trotzdem sie sich wieder dagegen sträubte, machte sich eilends auf den Weg zu mir und kam am 13. Dezember in Linz an . . ." Kepler fuhr mit der Mutter im Sommer 1617 nach Württemberg, um den Prozeß zu beschleunigen, sah, daß man die Mutter nur mürbe machen wollte, und nahm sie Ende 1617 wieder nach Linz.

Man verhandelte am 10. November 1619. Einzelne Zeugen behaupteten, ihr Rindvieh oder sie seien durchs Handauflegen der Keplerin oder nach Genuß der von ihr gebrauten Getränke leidend geworden. Die Keplerin bestritt es. Kräuterweine hatte sie zubereitet. Auch soll sie einmal den Totengräber von Leonberg gebeten haben, ihres Vaters Schädel auszugraben, den sie in Silber fassen und ihrem Sohn nach Linz als Zeichen der Vergänglichkeit schicken wollte.

Die öffentliche Stimmung ging gegen sie. Am 7. August 1620 wurde sie verhaftet. Auf Antrag ihres Sohnes Christoph, der für sein Ansehen in Leonberg fürchtete, wenn man am Ort seine Mutter foltern würde, wurde sie nach Güglingen überführt und in der Torstube angekettet. Ihr Sohn Johannes Kepler stand ihr getreulich bei und drang auf Beschleunigung des Verfahrens. Die Akten kamen schließlich vor die juristische Fakultät zu Tübingen, die den Antrag des Staatsanwalts ablehnte, durch Martern ein Geständnis zu erpressen. Immerhin sollte sie aber wegen der Menge der Belastungszeugen vor die Marterwerkzeuge geführt, mit deren genauem Gebrauch bekannt gemacht werden, und durch Furcht vor der Folterung zum Geständnis gepreßt werden.

Am 27. September 1621 fand der „peinliche Rechtstag" statt. Der Vogt Aulber ließ sie in den Marterraum führen; sie blieb standhaft — die würdige Mutter Keplers.

Man brachte sie ins Gefängnis zurück, berief auf Befehl des herzoglichen Rats einen neuen Rechtstag ein und sprach sie frei.

Der Freispruch beendete nicht die Verfolgung. Der Stadtrat von Leonberg beschimpfte die Alte öffentlich. Die alten Kläger stellten neue Klagen. Auch Frau Kepler klagte neu — auf Erstattung der Gerichtskosten. Nur ihr baldiger Tod beendete das sechsjährige Prozessieren. Es hatte der Mutter letzte Jahre und Vermögen aufgezehrt.

Kepler schrieb 1623: „Befreit ist unsere Familie von der Gefahr und wir alle von Schimpf und Schande."

Als die Verhältnisse in Linz trostlos wurden und er mit Frau und sechs Kindern nicht mehr wußte, wohin, schrieb der Sechsundfünfzigjährige an einen Freund in Straßburg und bat um eine Dozentur an der Universität, er wolle seine soeben publizierten Rudolfinischen Tafeln — oder Astrologie vortragen.

Der Straßburger Rat lehnte einen Lehrstuhl für Deutschlands berühmtesten Astronomen ab, offerierte aber — das Wohnrecht.

Schon der bayerische Kanzler Johann Georg Herwart hatte gesagt, außer ihm interessiere sich kein Mensch in München für Keplers Forschungen. Im Dreißigjährigen Krieg verlor Deutschland die Mehrzahl seiner Bewohner, seine Vernunft, seine Gesittung, seine Freiheit, seinen Reichtum, seine Kultur. Es erntete Pest, Verwilderung und Religionsgezänke.

1624 wurden die „Tabellen" druckfertig. Nun suchte Kepler Geld für den Druck. Da das Haus seines Linzer Druckers Planck von aufrührerischen Bauern in Brand gesteckt wurde, ging Kepler am 20. November 1626 mit einem „Paßbrief", seiner Frau, den Kindern, Büchern und allem Hausrat erst nach Regensburg, und allein nach Ulm, wo unter seiner Aufsicht die Tafeln gedruckt wurden. Anfang 1628 überreichte er sie in Prag dem Kaiser Ferdinand II, der ihn einst aus Graz ausgewiesen hatte. Wieder versprach man ihm sehr viel, wenn er nur katholisch würde. Kepler schrieb 1628 an den Wiener Jesuiten Paul Guldin, einen Professor der Mathematik, er sei „entschlossen, nicht nur die Belohnung fahren zu lassen, die mir gegenwärtig angeboten wird und der Seine Kaiserliche Majestät hochherzig und freigebig zugestimmt, sondern auch die österreichischen Länder, ja das ganze Reich und, was viel schwerer wiegt als dies alles, die Astronomie selber aufzugeben. Ich möchte sogar hinzusetzen, auch das Leben." Da der Kaiser den Kepler nicht mehr bezahlen konnte oder wollte, wurde Kepler mit 57 Jahren ein Hofastrolog Wallensteins, „für tausend Gulden jährlich", und

106

zog im Juli 1628 mit seiner Familie in dessen Residenz-
stadt Sagan ein. 20 Jahre zuvor hatte er dem Wallenstein
das Horoskop gestellt, um 18 Jahre später die Deutung
mit der Bitte um Verbesserung zurückzuerhalten. Keine
Prophezeiung war eingetroffen. Kepler richtete in Sagan
eine Druckpresse ein, „inmitten des Zusammenbruchs von
Städten, Provinzen und Staaten, von alten und neuen Ge-
schlechtern, inmitten der Furcht vor barbarischen Über-
fällen, vor gewaltsamer Zerstörung von Heim und Herd",
wie er schrieb. In Sagan vollendete er Jahrbücher und
ward wieder mal exkommuniziert. Unter Wallenstein
wurde das Herzogtum Sagan erbarmungslos rekatholisiert.
Einen Ruf an Wallensteins Universität in Rostock wollte
Kepler nur annehmen, wenn Wallenstein die kaiserlichen
Schuldscheine über 12 000 Gulden erst einlösen würde. Da
wurde aus der Berufung nichts, obwohl Wallenstein für
den reichsten Mann in Deutschland galt.

Kepler begann mit Hilfe seines Schwiegersohns, des
jungen Astronomen Jakob Bartsch, seine „Mondastrono-
mie", zu drucken. Erst Keplers Sohn Ludwig hat sie,
nach Keplers Tod, 1634 in Frankfurt unter dem Titel
„Somnium" publiziert.

Bald fiel der kaiserliche Feldherr Wallenstein in Ungna-
de. Am 13. September 1630 wurde seine Entlassung auf
dem Kürfürstentag in Regensburg ausgesprochen. Damit
wurden Keplers Schuldscheine wertlos.

Am 8. Oktober begann Kepler eine lange Reise nach
Linz, um dort Gelder zu kassieren. Unterwegs traf er
Wallenstein und empfahl ihm die Familie, die in Sagan
geblieben war. Dann ritt er nach Regensburg, um mit den
Hofbeamten die Regelung seiner Forderungen zu bespre-

chen. Am 3. November traf er ein, mit einem hitzigen Fieber, ein Aderlaß half nicht. Am 15. November 1630 starb er, neunundfünfzig Jahre alt.

Der evangelische Petersfriedhof, wo man ihn begrub, (außerhalb der Stadtmauer), wurde bald darauf samt Keplers Grabmal von bewaffneten Christen zerstört.

Im Nachlaß Keplers fand man 70 Dukaten, 22 Taler, 13 Gulden; außerdem Schuldscheine über 84 Gulden, über 11 617 Gulden, über 2500 Gulden, alle drei waren nicht einmal das Papier wert, auf dem sie ausgestellt waren. Noch 1717 prozessierten die Erben Keplers vergeblich mit den Kaisern von Österreich.

Kepler hat scharf über sich geurteilt, groß von sich gedacht. Von Kirchen verfolgt, von Kaisern im Stich gelassen, fiel er von einer Misere in die andere. Ein großer Hypochonder, hat er nie im Leben gebadet und dreizehn Kinder gezeugt.

Der professionelle Sterndeuter und Kalendermacher zerstörte die Fundamente der Astrologie, die er den Bankert der Wissenschaft hieß. In seinen besten Jahren mußte der kurzsichtige „Sternseher" die Streiche von Schulkindern oder die Launen eines anderen Astronomen erdulden. Indes seine Schüler schon Professoren waren, bot er sich immer noch vergeblich bei vielen Universitäten aus, um im Alter der Astrolog eines Glücksritters ohne Glück zu werden. Noch im sechzigsten Jahr reitet er „auf einem mageren Pferdchen — nachher verkauft er es um zwei Gulden" — seinem papierenen Vermögen nach, ein Gläubiger von Kaisern, ein Bettler. Einer der besten Kalkulatoren der Welt, war er vielfach verworren, wie nur deutsche Provinzphilosophen. Der Ratgeber von Kaisern und Feldherrn, dessen Prophezeiungen vielleicht Schicksale ganzer Provinzen mitformten, verführte ein andermal durch seinen Bauernkalender ein Bäuerchen, Gerste statt Hafer zu pflanzen. Er sagte Kaisern und Gelehrten, Theologen und Frauen, ja der Welt die Wahrheit. Wie sollte das gut gehn? Weise erkannte er eigene Irrtümer, neidlos anderer Verdienste. Zu dicke Schmeicheleien verbat er sich gelegentlich; dem adelsstolzen Grafen Bianchi-Alerani eröffnete er, schon sein Urgroßvater sei vom Kaiser zum Ritter geschlagen worden.

Den die Mitwelt nicht nach Gebühr geschätzt hat, mischte die Nachwelt erst nach langem Zögern in die Versammlung der Genies. Der schottische Physiker David Brewster hieß Kepler einen der großen Märtyrer der Wissenschaft. Jean Baptiste Delambre erklärt in seiner Histoire de l'astronomie moderne, kein zeitgenössischer Astronom habe die Bedeutung der drei Keplerschen Gesetze erkannt, durch die er die Astronomie von der aristotelischen Physik befreit habe. Galilei erwähnt sie gar nicht im „Dialog der Weltsysteme". Erst Newton, der die Keplerschen Gesetze eine Voraussetzung seines Gravitationsgesetzes hieß, schuf damit Keplers Weltruhm. Kepler schrieb sein eigenes Epitaph: „Ich habe die Himmel gemessen, nun meß' ich die Schatten der Erde. Der Geist war himmlischer Art, des Körpers Schatten ruht hier." Es gibt von ihm 80 originale Publikationen. Kant hieß Kepler „den schärfsten Denker, der jemals geboren wurde".

Mitten im Dreißigjährigen Krieg, als Deutschland im Streit um die bessere Religion fast vor die Hunde ging, hat er mit eisernem Fleiß, wie gegen sein ausschweifendes Genie, sein Werk zu Ende geführt. „Wenn der Sturm wütet", (schrieb er mit 57 Jahren) „und der Schiffbruch des Staates droht, können wir nichts Würdigeres tun, als den Anker unserer friedlichen Studien in den Grund der Ewigkeit zu senken." Zeitlebens zieht er mit Kind und Kegel von Ort zu Ort, verfolgt von Pfaffen und Reaktionären, verjagt und verschmäht, und wird nie müde, für die neue Lehre des Copernicus zu sprechen, und für die Freiheit der Wissenschaft. Albert Einstein schreibt: „Kepler gehörte zu den Wenigen, die überhaupt nicht anders können als auf jedem Gebiet offen für ihre Überzeugungen einzustehen . . . Sein Lebenswerk war nur möglich, wenn es ihm gelang, sich weitgehend von der geistigen Tradition freizumachen, in die er hineingeboren war." Kepler schrieb 1610: „Gib Schiffe, oder richte Segel für die Himmelsluft her, und es werden auch die Menschen da sein, die sich vor der entsetzlichen Weite nicht fürchten. Und so, als ob die wagemutigen Reisenden schon vor der Tür stünden, wollen wir die Astronomie für sie begründen, ich die des Mondes, du, Galilei, die des Jupiter." Wernher von Braun schrieb: „Die Kenntnis der Gesetze Keplers ist für die Planung unserer heutigen Raumfahrtprojekte so unentbehrlich wie die Raketen, die unsere Raumfahrzeuge in den Weltraum hinaustragen. Die genauen Daten der Planetenbahnen, die er zusammentrug, gehören zum fundamentalen wissenschaftlichen Rüstzeug der Astronautik. Nach ihnen berechnen wir die Flugbahnen . . ."

Denis Diderot
oder Die Rechnung mit der Nachwelt

Was ist der Ruhm? Und wer kennt seine Gesetze? Was ist er wert? Und wer ist bereit, den Preis zu zahlen?

Denis Diderot war schon zu Lebzeiten weltberühmt, und fast verschollen. 258 Jahre nach seiner Geburt, 187 Jahre nach seinem Tod ist er wiederum berühmt, und fast verschollen.

Verdient er den Weltruhm noch heute? Und warum ist er heute halb vergessen? Warum steht er im Schatten, statt am selben Tisch mit Voltaire und Rousseau zu sitzen? Muß man auch im Hades Glück haben? Und ist die Nachwelt so zerstreut und verblendet wie die Mitwelt?

Der literarische Ruhm wechselt fortwährend, mit jedem Land, mit jeder Epoche, mit jeder intellektuellen Strömung, jeder literarischen Mode. Der Zufall spielt seine große Rolle. Bis zu unseren Tagen stützte sich der Ruhm Menanders auf sein Renommee im Altertum und auf einige Zitate von ihm bei anderen Autoren. Mit einem Male fand man einige Komödien von ihm. Nützen sie seinem Namen?

Jeder Ruhm hat seine Geschichte und neben den sogenannten irrationalen Gründen auch rationale.

113

Um die sonderbare, schier einzigartige Geschichte des Ruhms von Diderot zu verstehn, muß man etwas von seinem Leben wissen, von seiner Zeit, von seiner literarischen und politischen Situation, von seinem Werk, von seinem Charakter und Temperament, von seinen Anschauungen und Erfahrungen.

Denn Diderot verdient seinen Weltruhm, heute wie zu seinen Lebzeiten, und er ist nicht unschuldig an der zeitweiligen oder partiellen Verfinsterung seines Ruhms und seines Werks.

Diderot, der die Paradoxe liebte, und in Antithesen lebte, ist selber eine paradoxe Figur mit einem antithetischen Schicksal. Er erschiene größer, wenn er kleiner wäre, berühmter, wenn er den Ruhm weniger verdiente. Seine Vorzüge, sein Genie stehn ihm im Wege. Er selber stand sich seit je im Wege. Man wird ebenso häufig für Fehler oder Verbrechen namhaft wie für Tugenden oder gute Taten. Selbst Heilige verdanken zuweilen ihren Ruhm ihren sonderbaren Sandalen oder Versuchungen.

Diderot hatte zu reiche Talente, zu vielfältige Werke, zu radikale Ideen, zu anständige Manieren, er war rücksichtsvoll gegen andere und rücksichtslos gegen sich, vor lauter Güte nachlässig, vor lauter Menschenliebe nicht auf seine Interessen bedacht. Er wurde übersehn, weil er zu groß war.

Um ihn zu schätzen, wie er es verdient, müßte man ein Enzyklopädist sein wie er, ein Pantophile, wie ihn Voltaire geheißen hatte, ein Liebhaber des Alls, man müßte seinesgleichen sein, und wie viele Diderots gibt es schon in jedem Jahrhundert?

Es gab nie, es gibt noch heute keine vollständige Ausgabe all seiner Schriften, geschweige eine kritische Ausgabe aller Schriften von Diderot.

Erst im Jahre 1954 wurde der Fonds Vandeul in der Bibliothéque Nationale von Paris zugänglich, und auch die Manuskripte im Fundus der Ermitage in Leningrad sind keineswegs alle ausgewertet oder gar vollständig veröffentlicht.

Beide Fonds, in der Bibliothèque Nationale in Paris und in der Ermitage zu Leningrad, enthalten veröffentlichte und unveröffentlichte Manuskripte von Diderot, in verschiedenen Fassungen. Der Pariser Fonds war bislang im Besitz der Familie Vandeul, Nachkommen von Diderots Tochter. H. Dieckmann hat 1951 die mehr als sechzig Bände klassifiziert und inventarisiert, und eine der bedeutendsten Altersschriften von Diderot darausgezogen und zum erstenmal publiziert. Die Lettre Apologétique des Abbé Raynal an Monsieur Grimm, „im Zorn" geschrieben am 25. März 1781, mit einer Nachschrift vom 25. Mai, worin der alte Diderot seinem langjährigen deutschen Freund Friedrich-Melchior Grimm vorwirft, er habe die Ideale ihrer jüngeren Jahre verraten, indes Diderot eben durch diesen „Brief" beweist, daß er seinen Idealen treu geblieben ist, und mit demselben Feuer, mit derselben Kühnheit wie in jüngeren Jahren schreibt, indes man ihm in mehreren Jahrhunderten vorwerfen wollte, er sei im Alter senil und ein Bourgeois geworden. Schon dieses eine kleine Werk, das in unseren Tagen erst zum Vorschein kam, verändert die Figur Diderots.

Der Fonds der Ermitage in Leningrad umfaßt 32 Bände mit veröffentlichten und unveröffentlichten Manuskripten, die ein Geschenk der Madame de Vandeul, der Toch-

115

ter Diderots, an die Kaiserin Katharina II. von Rußland war. Katharina II., die Diderots Bibliothek gekauft hatte und sein Mäzen war, erlaubte keineswegs die Veröffentlichung aller damals ungedruckten Manuskripte. Ihre Politik und die russische Zensur waren stärker als die Bewunderung für ein Genie.

Die letzte Ausgabe der gesammelten Werke Diderots, in 20 Bänden bei Garnier in Paris, erschien 1875-77, heißt Oeuvres Complètes und ist unvollständig, textkritisch unzuverlässig, und vergriffen.

Auf deutsch findet man von Diderot heute nur eine zufällige und verstreute Auswahl seiner Werke. Und in den Gesamtausgaben von Lessing den „Hausvater" und den „Natürlichen Sohn", zwei Komödien, die Lessing übersetzt hat, in den Gesamtausgaben Goethe's den „Neffen des Rameau", den Goethe übersetzt hat, und in den Gesamtausgaben von Schiller eine Novelle aus „Jacques le Fataliste", da Schiller diese Novelle übersetzt hat.

Man kann keine besseren Übersetzer, keine größeren Bewunderer haben in Deutschland, als Diderot hatte, deshalb blieb er doch in Deutschland fast verschollen.

Weltberühmt in drei Jahrhunderten, in seinem 18. und im 19. und in unserem 20. Jahrhundert, war er es in jedem aus anderen Gründen, erscheint er in jedem Jahrhundert als eine andere Figur.

Dieser genialische Komödienautor schrieb nicht nur epochemachende Komödien, und benutzte die ganze Welt in seinen Romanen, Novellen, Dialogen und Briefen und philosophischen oder ästhetischen Abhandlungen als unerschöpflichen Possenstoff, sondern er machte auch aus sich und seinem Leben und aus seinen Werken lauter wider-

spruchsvolle, paradoxale und geheimnisvolle Komödien-
figuren und Lustspiel-Elemente.

Von allen großen Aufklärern ist er der geheimnis-
vollste und folgenreichste, der modernste, der Prophet
und Vorläufer.

Diderot war im Laufe dieser drei Jahrhunderte eine
Reihe ganz verschiedener Autoren, da jedes Jahrhundert
andere Werke von ihm kannte und schätzte.

Schon zu Lebzeiten von Diderot gab es eine Reihe verschiedener Autoren, die alle Diderot waren. Da war der
Übersetzer Diderot, da war der Bearbeiter Diderot, da
gab es den Enzyklopädisten, den Vater der großen französischen Enzyklopädie Diderot, da gab es jenen Autor
Diderot, dessen Werke unter seinem Namen zu seinen
Lebzeiten erschienen, da gab es den Diderot, dessen Ge-
heimwerke unter Pseudonymen oder anonym erschienen,
und da gab es den Autor Diderot, dessen Meisterwerke,
ses petits papiers, wie er sie nannte, seine kleinen Schrei-
bereien, erst lange nach seinem Tod erschienen, Ende des
18., oder im 19. oder gar im 20. Jahrhundert. Und da
gibt es noch jenen Diderot von Werken, die immer noch
unveröffentlicht, immer noch unbekannt sind. Und da
gibt es den apokryphen Diderot, der in den Werken seiner berühmten Zeitgenossen mitgeschrieben hat.

Hat es je eine so kolossalische und leichtfertige Ver-
schwendung eines Weltruhms gegeben?

Denis Diderot wurde am 5. Oktober 1713 zu Langres,
einem Städtchen der Champagne geboren, der Sohn eines
trefflichen Messerschmieds, und er starb am 31. Juli 1784
in Paris, und fühlte sich bei allem Weltruhm so verkannt,
daß er auf eine bessere Nachwelt baute.

Fünf Jahre ging Diderot in Langres zu den Jesuiten ins Kolleg. Beinahe wäre Denis Diderot ein Geistlicher geworden, wie sein Onkel, wie sein Bruder Didier, wie andre in seiner Familie. Als er noch ein Schüler war, wollte er sogar ein Jesuit werden. Er wollte nach Paris fliehen. Sein Vater, der Messerschmied, brachte ihn nach Paris, wo Diderot bald die Tracht eines Abbè ablegte, und fünf Jahre wiederum ins Kolleg ging, zu den Jesuiten oder zu den Jansenisten, man weiß es nicht genau. Mit neunzehn Jahren machte er seinen Magister artium bei der Universität von Paris.

Obgleich wir viel vom Leben Diderots aus seinen Schriften und Briefen erfahren, erzählt er wenig aus seiner Kindheit und fast nichts aus den dreizehn Pariser Jahren vor seiner Ehe.

Mit dreiundzwanzig, und wieder mit achtundzwanzig Jahren wollte er Jura studieren, benutzte aber zwei Jahre im Hause des Advokaten Clèment de Ris für Studien der Mathematik und Sprachen, Englisch, Italienisch, Latein und Griechisch. Als ihn der Advokat schließlich fragte: „Was wollen Sie nun werden?" erwiderte Diderot: „Ma foi, nichts. Ich liebe das Studium. Ich bin glücklich."

Auch habe er „zwischen der Sorbonne und der Comédie geschwankt", wollte also Doktor der Theologie oder Komödiant werden, u. a. weil er die Schauspielerinnen liebenswürdig fand.

Als er das Rechtsstudium und die Theologie aufgab, gab Diderots Vater ihn auf und sandte kein Geld mehr. An einem Fastnachtsdienstag hatte er nicht mehr einen Sou, um zu essen.

Diderot lebte damals zehn Jahre lang von seinem Witz, von Gelegenheitsarbeiten, gab Mathematikstunden, war drei Monate lang Hauslehrer beim Steuereinnehmer Randon, schrieb sechs Predigten für einen Missionar, lieferte Tafeln für eine Abhandlung über Sonnenuhren, bewegte sich am Rande der Literatur und der Wissenschaften, nicht weil er sich für nichts, sondern weil er sich für alles interessierte. Es war der Studiengang eines Enzyklopädisten.

„Groß und kräftig wie ein Lastträger" hatte Diderot blonde Locken, trug keine Perücke und ging (wie er sich selber in „Rameaus Neffen" beschreibt) „im Überrock von grauem Plüsch . . . verschabt an der einen Seite, mit zerrissenen Manschetten und schwarzwollenen Strümpfen, hinten mit weißen Fäden geflickt . . ."

Der deutsche Kupferstecher Georg Wille traf damals seinen dreißigjährigen Nachbarn Diderot, „einen sehr höflichen jungen Mann, der mir erzählte, er wolle ein Literat, wenn möglich auch ein Philosoph werden. "

Diderot selber schreibt, im „Salon" von 1767: „Ich komme in Paris an. Ich war bereit, in der Pelzschaube der Theologen mich unter die Doktoren der Sorbonne einzureihen. Ich treffe ein Weib schön wie ein Engel. Ich will mit ihr schlafen. Ich habe vier Kinder von ihr und da stehe ich, gezwungen, den Homer und den Vergil aufzugeben, die ich stets in meiner Tasche trug, ebenso das Theater, für das ich schwärmte, und ich war noch sehr glücklich dabei, die Enzyklopädie zu unternehmen, für die ich 25 Jahre meines Lebens geopfert habe."

Antoinette Champion war damals 32 Jahre alt, vier Jahre älter als ihr Liebhaber Diderot. Der fuhr am 7. Dezember 1742 nach Langres. Die Eltern hatten für ihn eine reiche Partie in Aussicht. Er gestand ihnen, er werde die Näherin heiraten, diese Antoinette Champion. Darauf ließ ihn der eigene Vater einsperren, in ein Kloster, und drohte, ihn zu enterben. Mit 30 Jahren ohne Beruf, Geld, Geltung, war Denis Diderot nicht imstande, sich und ein Nähmädchen zu ernähren. (Acht Jahre später trat er als Lehrer Frankreichs auf, ja als Lehrer seines Jahrhunderts, und wurde akzeptiert.)

Diderot band in seinem Kloster Leintücher zusammen und brach aus. Er schrieb seiner Antoinette: „Ich bin der Mann, der am meisten begehrt, was Du am wenigsten wünschest: Dein Gatte zu sein." Er heiratete sie am 16. November 1743, heimlich, um Mitternacht. Sie war treu, eifersüchtig, fleißig, ertrug die Armut, aß zuweilen ein Stück trocken Brot, um ihm ein leckeres Mahl vorzusetzen. Sie gab ihm täglich sechs Sous, damit er im Café de la Régence seinen Kaffee trinken und mit seinem Freunde Jean Jacques Rousseau eine Partie Schach spielen konnte.

Diderot, minder treu, doch eifersüchtig wie sie, zwang sie, ihr Nähen aufzugeben, damit kein Kunde sie verführe, und sie mußte die ersten fünf Jahre vorgeben, sie sei gar nicht verheiratet, und ihre Kinder seien unehelich, nur damit Diderots Vater ihn nicht enterbe. Diderot benahm sich wie ein Junggeselle. Er nahm seine Frau nirgends mit, weder in Cafés, noch in Salons, noch in die Landhäuser seiner Freunde und Freundinnen.

Für seine Freunde war Diderot zu allem bereit. Für seine Freundinnen hat er alles getan. Er gab sogar für flüchtige Bekannte, für Fremde, für jedermann, der ihn um Hilfe anging, Geld, Zeit, Arbeit. Man lohnte ihm mit

Undank betrog ihn. Es machte ihn nicht minder gut. Der Lakai in Diderots ironischer Komödie „Ist er gut? Ist er böse?" sagt über den alten Komödienautor: „Sie mischen sich in alle Dinge. Sie werden es bezahlen."

Diderot liebte die Frauen und schwärmte für viele, drei oder vier mal liebte er. Er war schon zwei Jahre verheiratet, als er sich in Madeleine de Puisieux verliebte, und schon vier Jahre ihr Liebhaber, als er an Voltaire schrieb, er sei besessen von „einer heftigen Leidenschaft, die ihn fast ganz ausfülle." Sie war eine Schriftstellerin.

Diderot schrieb: „Was mir einmal gefallen hat, gefällt mir immer." Sophie Volland war 38 Jahre alt, und Diderot 42, als sie sich 1755 kennen lernten. „Ich küsse Dich überall", schrieb er ihr. „Du bist und wirst immer das Glück meines Lebens sein . . . Es gibt nur eine für mich." Er schrieb ihr 553 Liebesbriefe, die sie oder er numeriert haben. 187 sind erhalten geblieben, man hat sie herausgegeben, und es gibt nicht viele schönere Briefbände. 1769 verliebte er sich in Frau de Meaux. Sie war 44, Diderot 56 Jahre alt. Sie war die Freundin eines Freundes von Diderot. Als sein Freund starb, wurde sie seine Freundin. Er hatte, wie bei seiner ersten Geliebten, allzu guten Grund zur Eifersucht. Wütend schreibt er an seinen Freund Grimm, Frau de Meaux habe ihm gesagt: „Ich liebe dich, nur dich!" Aber dasselbe habe sie auch Herrn de Foissy gesagt: „Ich liebe dich, nur dich!"

Seine selbstloseste oder selbstsüchtigste Liebe galt seinem einzigen Kind, das ihn überlebte, seiner Tochter Angélique. „Wenn ich dieses Kind verlöre, so glaube ich, daß ich vor Schmerz umkäme", sagte er. Er wollte einen zweiten Diderot aus ihr machen. Er widmete sich der Erziehung seiner Tochter, als übte er sich für die Erziehung der Menschheit. In der Tat muß man wenigstens einen Menschen erziehen können, wenn man seine Nation unterrichten will. Sich selber zu erziehen, ist schon viel, aber noch nicht genug.

Diderot wurde in einem langen Leben kein Tugendheld, aber ein guter Mensch, trotz allen Schwächen, und ein wahrer Tugendlehrer.

Seine bürgerliche Laufbahn, seine öffentliche Wirkung, sein berufliches Leben waren so paradox wie er selber, wie sein privates Leben, wie seine Schriften.

Diderot begann seine literarische Laufbahn als Übersetzer einer englischen Geschichte Griechenlands, von Temple Stanyan. Er war dreißig, als seine Übersetzung erschien, eben damals heiratete er. Er war 32 Jahre alt, als seine Übersetzung des Essay über das Verdienst und die Tugend des Shaftesbury erschien. Damals begann er seine Liaison mit Madeleine de Puisieux. Mit 33 Jahren veröffentlichte Diderot seine „Philosophischen Gedanken", anonym, angeblich im Haag. Das Buch erschien im Frühjahr 1746, und wurde schon am 7. Juli durch einen Beschluß des Parlaments von Paris verboten und vom Henker verbrannt. Obgleich das Buch im 18. Jahrhundert 20 Auflagen hatte, machte es seinen Autor nur bei den Freunden bekannt, und bei der Polizei. Dreizehn Jahre nach dem ersten Verbot, verurteilte das Parlament von Paris dasselbe Buch, das in einer neuen Auflage erschienen war, umfangreicher und radikaler, unter dem neuen Titel „Étrennes des esprits forts", zum Scheiterhaufen durch den Henker, zusammen mit der Enzyklopädie und dem Buch von Helvetius „De l'Esprit".

Mit 34 Jahren schrieb Diderot „Die Promenade eines Skeptikers", das Buch erschien erst 1830, 46 Jahre nach dem Tod Diderots.

Schon wurde Diderot von dem Polizeispitzel Perrault und vom Pfarrer seines Kirchensprengels von Saint-Médard beim Polizeichef von Paris, Berryer, denunziert, er sei „ein sehr gefährlicher Mensch, Autor eines verbrannten Werkes, arbeite an einem Buch gegen die Religion."

Im selben Jahr 1747 wurde auch Diderot zusammen mit seinem Freund d'Alembert beauftragt, die Ausgabe der Enzyklopädie zu leiten. Auch zu diesem Werk war er zuerst als Übersetzer gekommen.

1748 publizierte Diderot in Paris als Luxusdruck „Denkschriften über verschiedene Gegenstände der Mathematik", dagegen wiederum anonym in Holland sein schlüpfriges und meistgedrucktes Buch, den satirischen Sittenroman „Die geschwätzigen Kleinode", die Diderot angeblich in 15 Tagen verfaßt hatte, um seiner Freundin Madeleine de Puisieux Geld zu verschaffen.

Schon in der „Promenade eines Skeptikers" gestand der anonyme Autor Diderot, er wolle lieber ein guter und verfolgter, als ein schlechter und unbelästigter Autor sein. Und er gibt sich selber den Rat, „Geh ins Exil mit deinem Werk und laß die Bigotten toben!"

Nachdem Diderot die Kirche und den König unter einem absolutistischen und klerikalen Regime, wo die Zensur erbarmungslos wütete und Autoren wegen eines Chansons oder Epigramms in der Bastille oder auf dem Scheiterhaufen landeten, in seinen zwar anonym publizierten Schriften, aber mitten in Paris, mitten unter diversen Literaten, die um seine Autorschaft wußten, aufs schärf-

123

ste angegriffen und auf schlagend komische und geistreich tiefsinnige Weise über eben jene sich lustig gemacht hatte, die ihn in die Bastille oder auf den Scheiterhaufen schikken konnten und wollten, schrieb dieser übermütige, furchtlose Literat, der Mühe hatte, sich und seine Familie zu ernähren, ein neues Buch, den „Brief über die Blinden", der anfangs Juni 1749 anonym erschien, geheim gedruckt und unterm Ladentisch verkauft wurde. Auf einen schmeichelhaften Brief Voltaires, der sich anläßlich dieses „Briefes über die Blinden" als Deist bekannte, antwortete Diderot: „Ich glaube an Gott, obgleich ich sehr glücklich mit Atheisten lebe . . . Es ist sehr wichtig, Schierling nicht mit Petersilie zu verwechseln, aber keineswegs, ob man an Gott glaubt oder nicht."

Früh am 24. Juli 1749 machte der Kommissar Joseph d'Hémery, der bereits die „Promenade eines Skeptikers" konfisziert hatte, eine Haussuchung bei Diderot nach Manuskripten „gegen Religion, Staat oder die Moral". Er fand 21 Schachteln mit Manuskripten für die Enzyklopädie und zwei Exemplare des „Briefes über die Blinden".

Die lettre de cachet, von Graf d'Argenson am 23. Juli in Compiègne signiert, enthielt die Anweisung für Berryer „Herrn Diderot, Autor eines Buches über die Blinden, aufs Schloß von Vincennes zu schaffen. Man solle folgende Manuskripte ergreifen: „Brief über die Blinden", die „Geschwätzigen Kleinode" die „Philosophischen Gedanken, die „Allee der Ideen", also wohl die „Promenade eines Skeptikers" und das Märchen „Der weiße Vogel".

Am 24. Juli brachte d'Hémery auf Kosten des Königs

in einer Mietskutsche den armen Diderot ins mittelalterliche Schloß von Vincennes, wo er sogleich in einen Kerker geschafft wurde. Diderot kannte weder die Gründe noch die eventuelle Dauer der Haft. Zuweilen „vergaß" man Gefangene, und sie starben im Kerker.

Schon am Tage der Verhaftung schrieben die vier Verleger der Enzyklopädie in einer Petition: „Die Enzyklopädie ist im Begriff, dem Publikum angekündigt zu werden. Die Verhaftung des Herrn Diderot, des einzigen Literaten, den wir für ein solch weites Unternehmen fähig wissen, und der allein den Schlüssel für diese ganze Operation hat, kann uns ruinieren."

Am 31. Juli verhörte ihn Berryer endlich. Diderot leugnete alles. Weder hat er den „Brief über die Blinden" geschrieben, noch kannte er den Autor, hatte nie das Manuskript in Händen, kein Exemplar verschenkt. Die „Geschwätzigen Kleinode" und die „Philosophischen Gedanken" hatte er nicht geschrieben, er kannte den Autor nicht. Er habe den „Weißen Vogel" nicht geschrieben noch korrigiert. „Die Promenade des Skeptikers" habe er geschrieben, aber das Manuskript verbrannt.

Am nächsten Tag gestand der Verleger Durand: Diderot ist der Autor der „Philosophischen Gedanken", der „Geschwätzigen Kleinode", des „Briefes über die Blinden".

Diderot vertrug die Einzelhaft schlecht. Sein Freund Jean Jacques Rousseau, der ihn besuchte, schrieb, „der Kerker hat einen schrecklichen Eindruck auf ihn gemacht". Sein Freund Condorcet schrieb, „Diderot wurde in der Einzelhaft schier verrückt". Am 13. August schrieb Diderot an Berryer: „Monsieur, mein Leiden hat die Grenze erreicht. Ich verspreche Ihnen aufrichtig, nie wie-

der etwas zu schreiben, ohne es Ihrem Urteil vorzu-
legen . . ."

Diderot war, im Kerker, 36 Jahre alt, er stand genau
in der Mitte seines Lebens.

Diderots Hauptgeschäft war damals die Enzyklopädie,
wie er glaubte, für die nächsten drei bis vier Jahre. Er hat
den größten Teil seines Lebens daran gegeben.

Diderot nahm es mit jedem an Großartigkeit und Fülle
der Entwürfe, an Ideenblitzen, überraschenden Kennt-
nissen und Universalplänen, an Witz und Genie auf.
Aber er hatte auch die schier pedantische, schier verrückte
Stetigkeit, die fortgesetzte Kühnheit, durch fünfund-
zwanzig Jahre alles durchzuführen bis zum guten Ende,
trotz der Ängstlichkeit, ja dem Verrat seiner Mitarbeiter
und Verleger, trotz der wütenden Angriffe der damals
mächtigen Jesuiten und Jansenisten, trotz der Verfolgung
durch Polizei, Zensur, Regierung, Kirche, Universitäten,
Akademien und allzu vieler Literaten, trotz der Ächtung
durch die herrschende öffentliche Meinung, trotz Hohn
und Spott, Plagiatsvorwürfen und Komödien gegen ihn,
trotz hundert Pamphleten, und der steten Drohung von
Kerker oder Verbannung oder gar dem Scheiterhaufen.

Mit Hilfe eben jener finsteren Mächte, die er angriff,
und von denen er abhing, mußte er gegen ihren Willen
ihre Reform betreiben, die Abschaffung des Aberglaubens,
der ihr Glauben war, und der Mißstände, von denen sie
lebten. Er mußte ein Volk erziehen, das hungrig oder
frivol, lieber Revolution machte, als bei der Vernunft zur
Schule zu gehen.

Dafür verschwendete Diderot durch 25 Jahre sein
Genie und ertrug die Mühen eines literarischen Lastträ-

gers. Er hat mit Hilfe von d'Alembert hervorragende Literaten und Wissenschaftler zur Mitarbeit an der Enzyklopädie begeistert und verführt. Er hat tausenderlei technische Plackereien auf sich genommen, Korrekturen gelesen, eine Unzahl von Artikeln geschrieben oder redigiert, ist zu Handwerkern gegangen, hat ihr Handwerk und ihre Maschinen zu bedienen gelernt, ja zu bauen, hat die Arbeitsvorgänge analysiert, alles mit anderen Handwerkern verglichen, ihre Handgriffe, Werkzeuge, Maschinen, Waren zeichnen lassen für die Illustrationsbände, hat Beschreibungen dafür und die enzyklopädischen Artikel darüber selbst geschrieben, und damit vielleicht die Qualität der französischen Manufaktur konserviert, vielleicht auch die industrielle Epoche seines Landes heraufführen helfen.

Hat Diderot nun die schnöden Versprechen eingehalten, die er im Turm von Vincennes der Polizei gemacht hat? Hat er nicht mehr „gegen die Religion und die ‚gute' Moral" geschrieben? Die Zustände nicht mehr angegriffen? Gar seine Ideen und Anschauungen abgeschworen, wie Galilei, ein Buffon und andere?

Diderot war mutig, nicht nur in einer besonderen Stunde der Prüfung, nicht nur an einem einzigen Tag der Gefahr, nein tausendmal durch 25 Jahre, mutig trotz allen Ängsten und den Warnungen aller Freunde.

Kein Buch durfte damals ohne „Privileg" erscheinen. Der Weg von der Wahrheit zum Henker war für Buch wie Autor kurz. Die Vorzensur, der jede Schrift unterworfen war, verbot, milderte, verhinderte, aber sie schützte nicht. Die Lizenz wurde willkürlich widerrufen, das erlaubte Buch verpönt, der „priviligierte" Autor in

127

die Bastille geschickt. Der Henker verbrannte aufsässige Bücher, die Kirche aufsässige Christen. Die lettres de cachet, willkürliche Freiheitsberaubungszettel mit der Unterschrift eines so frivolen wie absolutistischen Königs, konnten gekauft werden, sogar als Blankoschecks, wie Diderot selber in seinem Drama „Der Hausvater" beschreibt.

Und warum opferte Diderot sein Leben? Warum riskierte er sein Brot und seine Freiheit? Warum gab er seine Ehre und seine Muße hin? Warum trug er Boykott und Spott, Haß und Undank, Verfolgung und Todesdrohung?

Im Oktober 1750 erschien Diderots Prospekt der Enzyklopädie in 8000 Exemplaren. In seinem Artikel „Enzyklopädie" schreibt Diderot, sein Ziel sei, „Kenntnisse, die über den ganzen Erdball verstreut sind, hier, in seiner Enzyklopädie, zu vereinen ... zu garantieren, daß vergangener Jahrhunderte Werke nicht in künftigen Jahrhunderten ungenutzt geblieben seien; daß unsere besser erzogenen Nachkommen zur selben Zeit glücklicher seien, und daß wir nicht sterben sollen, ohne uns um die Menschheit verdient gemacht zu haben."

Warum fand Diderot so viele mutige Männer, die alles aufs Spiel setzten um ihrer Ansicht willen, und die, wie Rousseau berichtet, häufig kein Honorar erhielten, und keinen Ruhm, da viele auf die Nennung ihres Namens verzichteten, was sie freilich vor den Polizeispitzeln der Regierung und den Verfolgungen der Kirche nicht immer geschützt hat?

Weil es unter tausend Literaten immer einen gibt, und häufig zehn, ja hundert, die ihre Meinung höher achten als

Gut und Blut, als Schreck und Pein. Man findet aufrechte und gute Menschen an allen Orten, in allen Berufen, zu allen Zeiten. Ich habe den Verdacht, daß der professionelle Umgang mit dem Wort häufiger gut als böse, häufiger kühn als feige macht. Ich habe den Verdacht, daß man unter hundert Literaten mindestens einen mehr findet, der bei Gelegenheit selbstlos denkt, spricht und handelt, als in irgendeiner anderen Profession.

Also schrieben damals in Frankreich viele Gelehrte und Literaten Bücher und ließen sie drucken, für welche es kein Druckprivileg gab. Man druckte sie im Ausland oder geheim im Inland. Der Name des Autors war fingiert, der Name des Druckers, des Verlegers, man verkaufte sie unterm Ladentisch oder durch fliegende Buchhändler, die von der Polizei gejagt, allzu oft aufgespürt, vom Henker am Pranger gebrandmarkt und auf die Galeeren für zehn Jahre geschickt wurden.

Voltaire, Europas berühmtester Literat, ließ einige seiner besten Bücher unter fingierten Namen erscheinen, an fingierten Druckorten, und leugnete sie ab (wie viele schlechtere, die man ihm in die Schuhe schob), schrieb aber Broschüren und Spottverse, die wie die Gegenbroschüren der angegriffenen Angreifer anonym erschienen, und alles wurde auf dem schwarzen Markt der Literatur gehandelt.

Diderot hatte ein scharfes Auge für die Einzelheiten des Lebens, einen enzyklopädischen Überblick über die Kenntnisse seiner Zeit, war ein ideenreicher Kritiker des Weltalls und von Individuen, besaß die Schöpferkraft und Menschenkenntnis eines großen Dichters, Kunstform und Kunsturteil, hatte die Geduld und Intuition eines Philo-

129

sophen. Sein Leben wie sein literarisches Werk sind genialisch — und erscheinen eben wegen der Art seines Genies auf den ersten Blick wie verzettelt und großartig vertan.

Nun kann man ein mittleres Leben, ein mittleres Werk leichter planen und organisieren. Übrigens sind ja Zusammenhang und Konsequenz eines Lebenslaufes, einer Person, einer literarischen oder künstlerischen Entwicklung, gar eines Charakters illusionär. Und nur das schwindelhafte Gedächtnis, nur das trügerische Selbstbewußtsein und das schwankende Ich halten die Einheit eines Individuums zusammen.

Diderot hat es vermocht, in einem Buch, in seiner Enzyklopädie, die universalen Kenntnisse von Jahrtausenden zusammenzufassen. Aber drei Jahrhunderte haben es bisher nicht vermocht, mehr als nur jeweils verschiedene Fragmente des großen Diderot zu sehen.

Freilich sind alle Erzieher der Menschheit Optimisten. Sie werden allzuoft von ihrem gewaltigen Zögling, der Menschheit, Lügen gestraft. Was für ein leichtfertiger Optimist muß dieser Diderot gewesen sein, daß er nach der Fülle seiner schrecklichen Erfahrungen mit den geistigen, geistlichen, weltlichen Machthabern, und mit den siegreichen Dummköpfen allerorten, auf die Nachwelt gebaut hat, und seine Meisterwerke ungedruckt gelassen hat, seine tiefsten Ideen, die „ganze Wahrheit" in Manuskripten verschwendet hat. Oder sind das schon menschenfeindliche Züge eines so vielfach bewährten Menschenfreundes?

Diderot schrieb und versteckte seine „petits papiers", die unbekannten Meisterwerke, die heitersten Bücher eines großen Humoristen, der so zahlreiche Konflikte kennt, so verschiedene Verzweiflungen erfahren hat, und nicht gewillt ist, die falsche, die billige, die einseitige Entscheidung zu treffen. „Die Nonne", „Rameaus Neffe", „Jacques der Fatalist", die Figuren in seinen hinterlassenen Dialogen, im „Paradox über den Schauspieler", im „Traum des d'Alembert", die Helden seiner Novellen, es sind tragische Figuren eines Humoristen, es sind die närrischen Schatten eines skeptischen Philosophen, aber es sind Schatten, die das Blut ihres Schöpfers getrunken haben, und die voll von seinem Geist und Witz, voll von seinen „Paradoxen" und „Perversitäten", voll von seinem Charme und seinen mystifikatorischen Späßen sind, voll von seinen moralischen Kontrasten und philosophischen Antithesen, voll seiner Manierismen und seines Genies. Wie ihr Schöpfer leben auch seine Figuren auf vielen Ebenen, führen sie die komplexen Dialoge in Dialogen, und führen ganze Dramen im Monolog eines vielfältigen Individuums, einer vielfach gespaltenen Welt auf, von Ebene zu Ebene schreiten sie, und versuchen wie Diderot, auf vielen verschiedenen Ebenen zu leben und zu wirken, jede Tendenz zu realisieren, jeden utopischen Traum wahrzumachen und aus der Wirklichkeit jede phantastische Utopie zu machen, kurz in Kontrasten zu denken, zu leben, und sich zu verwirklichen. Denn ihr Schöpfer Diderot ist ein Mann, der Spaß an Sonderlingen, an Originalen, an Genies und leidenschaftlichen Figuren, an Fanatikern findet, wie Jean Jacques Rousseau einer ist, aber zu skeptisch, zu sehr ein „Philosoph" ist, um selber als konsequenter Fanatiker zu werden.

In all diesen Meisterwerken, den epischen, dramatischen, den philosophischen, ästhetischen, in diesen genialischen

Dialogen spricht recht eigentlich Diderot mit Diderot, und es ist ein ganz unbeschreiblicher Reiz, ihn sprechen zu hören, man begreift sogleich den Zauber, den er auf seine Zeitgenossen ausgeübt hat, man fühlt den Zauber wieder, es sind nicht so sehr die glänzenden (und zuweilen absurden) Einfälle, oder der Strom der Ideen, nicht, daß er recht hat und überzeugt, und auch oft, wo er unrecht hat, überzeugt, es ist die eigentümliche Wärme der Empfindung und der Gedanken, es ist die unwiederholbare ganz persönliche Mischung, das Wunder der Persönlichkeit, die geistige Grazie, die Tonfälle, die Pantomime des Redens, die man zu sehen glaubt, seine einzigartige Kunst zu erzählen, zu beschreiben, zu verlebendigen und zu plaudern und geistig blitzend zu unterhalten. Es ist natürlich vor allem die Wahrheit und die Sensibilität. Es ist ein Mensch, der so viel weiß, und so viel kann, und so viel ist, ein „Philosoph" in jener umgänglich charmanten, pariserisch antikisierenden Manier. Es war ein revolutionärer Zauber.

Postum erschien fast alles, was heute seinen Ruhm ausmacht, die beiden Romane „Die Nonne" und „Jacques le Fataliste", seine schönsten Novellen, sein reifstes Drama „Ist er gut? Ist er böse?", seine Dialoge „Rameaus Neffe" und „Der Traum des d'Alembert" und das „Paradox über den Schauspieler", das heute in Frankreich meist diskutierte Werk von Diderot. Postum erschienen seine wichtigsten philosophischen Schriften, seine ästhetischen Schriften, wie die „Salons" und der von Goethe übersetzte, kommentierte, publizierte „Essay über die Malerei", und Diderots Briefe, insbesondere an seine Freundin Sophie Volland, postum erschienen seine Reiseberichte, aus Holland, Rußland, Frankreich, und so vieles andere.

Obendrein erschienen sie auch vor der Nachwelt so zerstreut durch die Jahrhunderte, so vereinzelt, als wollte man einen großen Namen mit Fleiß zerstören, als wollte man ein großes Werk absichtlich zerstückeln. Der Zufall, die Mitwelt, die Nachwelt, und zwar sechs Generationen dieser Nachwelt erscheinen wie Feinde von Diderots Ruhm. Aber war es nicht Diderots Schuld?

Der Roman „Die Nonne", verfaßt 1760, erschien zuerst 1796, 12 Jahre nach Diderots Tod. Der Roman „Jacques le Fataliste", entstanden vielleicht 1773—1774, erschien 1780 handschriftlich in Grimms Correspondance Littéraire, 1785 publizierte Schiller deutsch eine novellistische Episode daraus, 1792 erschien der ganze Roman deutsch, übersetzt von Mylius, unter dem Titel „Jakob und sein Herr", und erst 1796 französisch im Druck.

„Der Neffe des Rameau", entworfen zwischen 1762 und 1764, verbessert zwischen 1772 und 1779, erschien zuerst im Druck auf deutsch 1805, freilich von Goethe übersetzt, von Schiller gedruckt, etwa 15 Jahre später französisch, aber aus Goethes Text rückübersetzt, und erst 1821—1823 in einem korrumpierten Originaltext, aber im wahren Original erst 1891. Sein bestes Drama erschien zuerst im Entwurf 1821 unterm Titel „La Pièce et le Prologue", in seiner endgültigen Form erst 1834, und keiner spielte es. Das „Paradox über den Schauspieler" erschien erst 1830, die Reise nach Holland 1819, die Reise nach Bourbon 1831, die russischen Reiseberichte 1875, im selben Jahr 1875 die Widerlegung des Helvetius.

Wir hätten vielleicht auch heute noch nicht „Das Paradox über den Schauspieler", die „Briefe an Sophie Volland", den manche Kritiker für den schönsten Briefband

der französischen Literatur halten, und nicht die Reiseberichte aus Rußland sowie den „Traum des d'Alembert",
wenn nicht im vorigen Jahrhundert ein Herr Jeudy-
Dugour indiskreterweise diese Meisterwerke der französischen Literatur aus dem streng behüteten Fonds der
Ermitage in Leningrad kopiert hätte.

Seine „Salons", die Kunstberichte, die handschriftlich
in Grimms Correspondance Littéraire erschienen waren,
und über die Diderot an seine Geliebte Sophie Volland
geschrieben hatte: „Das ist sicherlich das Beste, was ich je
geschrieben habe, seit ich mich der Literatur widme. Und
es gibt Augenblicke, wo ich wünschte, daß dieses ganze
Werk, komplett gedruckt, mitten in die Stadt Paris vom
Himmel fiele", diese „Salons" von Diderot erschienen
auch im Druck in lauter Bruchstücken, das erste 1795, elf
Jahre nach Diderots Tod, das zweite 1798, das dritte
1813, das vierte 1819 und der Rest endlich 1857.

Und so geht es weiter, schon durchs dritte Jahrhundert.

Es sind aber nicht nur editorische Unfälle, die sich der
Wirkung und Geltung Diderots entgegenstellten, sondern
er hat sich auch mit treffender Kritik und bewunderungs-
würdigem Geschick eben jene Mächte zu Feinden gemacht,
die auch heute noch herrschen. Auch die Dunkelmänner
von heute fühlen sich immer noch von ihm getroffen und
bekämpfen ihn heute wie ihre Großväter es zu seiner Zeit
taten. Es sind alle Feinde der Freiheit, alle Feinde der
Toleranz, alle Feinde der gerechten Menschenliebe, alle
Feinde der Vernunft und des irdischen Glücks und der
Sinnenfreude.

Er war der Aufklärer, eines vergangenen Jahrhunderts,
der auch das nächste Jahrhundert aufklären konnte, und

das übernächste, unser 20. Jahrhundert. Er war der Mann, der vor keinem Vorurteil Respekt hatte, der Mann, der alles verbessern wollte, die Unsitten der Pariser Hebammen, und die Erziehung der Menschheit, die Agrartechnik und das Studium der Chirurgen, den Unterricht für Blinde und Taubstumme, die Bühnenausstattung, das Drama und unanständige Romane, die Stahlproduktion und die Psychologie und die Polizei und die Wasserversorgung von Paris und die Orthographie und unsere Vorstellung von Gott und Drehorgeln, er wollte den Absolutismus abschaffen, und die Klöster, und die Monopole, und jedes soziale Unrecht.

Er war der Aufklärer, der nur mehr wissen mußte, um sogleich sich besser zu fühlen und andere besser zu machen. Er war der Philosoph, der jede Maxime sogleich praktisch wahrmachen wollte, in Politik und Religion, in der Soziologie und Psychologie, in der Regierung und im Kaffeehaus. Aber jede praktische Erfahrung sublimierte er wiederum sogleich zur Idee der Erfahrung. Im Handumdrehen wurde der Philosoph zum Experimentator. Warum sollte er nicht begreifen, was andere je begriffen, nicht vollbringen, was andere schon vermocht hatten? Schon war er ein Revolutionär, ein Vorläufer, nahm in Aperçus dem Darwin die Selektion der Gattungen, dem Julius Robert Mayer die Erhaltung der Energie voraus. Freilich legte er zuweilen seine Ideen, die dem Jahrhundert um fünfzig Jahre voraus waren, in Manuskripten nieder, die erst hundert Jahre später veröffentlicht wurden.

Die Geschichte seiner literarischen Werke ist eine absurde Mischung aus dem Los eines Märtyrers und eines Triumphators. Aus Siegen machte er Niederlagen, aus

135

seinen Niederlagen Siege. Auch darin war er ein großartiger Humorist. Auch da bewies er die bewährte Mischung aus Heroismus und Kompromiß, aus dem Konflikt revolutionärer Ideen und menschenfreundlicher Toleranz, aus Tollkühnheit und Vorsicht zum Zwecke neuer Tollkühnheiten.

Zu Lebzeiten Diderots kannte man nur den Übersetzer, den Enzyklopädisten, den Pamphletisten, den Geschichtskritiker, den Literaturkritiker und Entdecker, den Dramaturgen, den Autor der beiden Komödien „Der Hausvater" und „Der natürliche Sohn", vielleicht auch den Autor der „Geschwätzigen Keinode" und den sogenannten „Philosophen" und den „Vielschreiber" Diderot.

Und wir? Wo sind die Leser, die den Diderot kennen? Es ist, als gäbe es ein Dutzend genialischer Autoren, die alle unter dem Namen Diderot publiziert hätten, und jeder Leser Diderots kennt nur einen von dem Dutzend Diderots, und schätzte nur den einen aus einem Dutzend, der liebt den Romancier, jener den Philosophen, ein dritter den Schauspielkritiker, ein vierter den Komödiendichter, ein fünfter den Gesellschaftskritiker, ein sechster den Kunstkritiker, ein siebenter den Briefschreiber, ein achter den Revolutionär, ein neunter den Lehrer der Toleranz, ein zehnter den Humoristen, ein elfter den Enzyklopädisten, und um das Dutzend voll zu machen, wo bleibt der Liebhaber des ganzen Diderot? Ist auch das eine Schuld von Diderot? Fast alles, was er selber veröffentlicht hat, war verbotene, geschmuggelte, revolutionäre Geheimliteratur, aber zugleich kaschierte Sklavenliteratur. Die ganze Wahrheit, den rücksichtslosen Diderot, gab er nicht mal anonym, nicht mal in privaten Briefen und Gesprächen preis. Indem er seine Meisterwerke für diese erzdubiose „Nachwelt" aufhebt, spricht er von einem „Testament des Toten" und schreibt verzweifelt: „Nur aus dem Grunde seines Grabes denkt und spricht man mit Kraft. Von dort aus muß man zu den Menschen sprechen."

Aber Diderot zensurierte auch diese nachgelassenen, tatsächlich freieren, kühneren Werke wieder selber, in der vagen Aussicht auf eine eventuelle Publikation.

Er selber ist nicht ins Exil gegangen, obgleich er mehrfach auf dem Sprung dazu war, und seine besten Freunde ihn dahin drängten. Nur seine Werke sind ins Exil gegangen, sogar in jenes wahrhaft düstere Exil der „Nachwelt".

Den Zeitgenossen erschienen die literarische Existenz, die Figur, der Charakter Diderots wie von lauter Zufällen bestimmt, paradox, zweideutig. Die Freunde sahen in ihm mehr einen genialischen Anreger, eine genialische Figur, als einen Autor von Genie, einen Schöpfer von Meisterwerken. Die Feinde wie Palissot, der 1764 die „Dunciade" gegen in veröffentlichte, lachten ihn öffentlich als einen Dummkopf aus, andere Gegner sahen in ihm einen Feind des Staats, der Kirche, der Gesellschaft, einen blinden Fanatiker.

Plante dieser entschlossene Determinist Diderot, sein Leben und seinen Nachruhm auf lauter Zufällen aufzubauen? Oder hatte dieser „Philosoph", dieser Führer der französischen Aufklärung, dieser Enzyklopädist, dieser Bohemien aus dem lateinischen Viertel im Schlafrock des Pariser Bürgers, dieses burleske Welttalent, das sein Genie unter den Scheffel stellte, seine Meisterwerke im Schreibtisch versteckte, hatte dieser witzige Mystifikateur

137

und Erzhumorist es von vornherein geplant, diese ungeheuerliche Doppelexistenz zu führen, ja ein Dutzend von realen und literarischen Existenzen zu führen, und ein Dutzend Diderots zu sein, jeder mit einem anderen genialen Werk, jeder mit einem anderen Ruhm, in jedem Jahrhundert ein anderer?

Oder wird demnächst endlich der ganze Diderot, der wahre, seinen vollen verdienten Weltruhm genießen?

Jener Diderot, der gesagt hat: „Ich bin der Mann der Unglücklichen." Oder: „Es gibt nur eine Leidenschaft, nämlich glücklich zu sein. Sie heißt je nach den Objekten anders, Laster oder Tugend, gemäß der Heftigkeit, den Mitteln und Effekten." Oder: „Der Mensch ist geboren, für sich selber zu denken" und „Zwingen Sie mich, über die Religion und die Regierung zu schweigen, und ich würde nichts mehr zu sagen haben." Diderot sprach „vom Bürgerkrieg in unserem Innern, der das ganze Leben dauert". Er sagte: „Und allein darum, weil kein Mensch einem andern vollkommen gleicht, verstehen wir einander niemals genau, und werden niemals genau verstanden." Und er sagte: „Das Wunder: das ist das Leben, und die Fähigkeit, zu empfinden." Aber eben das war vielleicht Diderot: Ein Wunder. Und auf seine Art das Leben. Und die Fähigkeit zu empfinden; und zu denken; und zu lachen.

Lorenzo Da Ponte
oder Das Glück, für Mozart zu schreiben

Lorenzo Da Ponte hat ein dutzendmal sein altes Leben aufgegeben und ein dutzendmal ein neues Leben sich geschaffen.

Er war ein Improvisator seines eigenen Schicksals. Er war ein Autobiograph eines wie von ihm erfundenen Lebens.

Er war ein Operndichter und ein Opernheld. Er führte sein eigenes Leben und beschrieb es, als sei es voll Musik, Gesang und Tanz, eine komische Oper. Freilich zog sich diese Opera buffa durch schier neunzig Jahre hin, und hatte zwanzig Akte, und jeder neue Akt setzte mit dem heitersten Vorspiel ein, mit Wollust und Gelächter, und schloß immer wieder abrupt mit Intrigen und Katastrophen, mit Tränen und Flucht.

Er schrieb Texte für mehr als 21 Komponisten, wie Haydn, Cimarosa, Paisiello, Lully, Grétry, Gluck und dessen Schüler Antonio Salieri, den Lehrer von Beethoven, Schubert und Liszt, und vor allem für Mozart: „Lo Sposo Deluso"; „Die Hochzeit des Figaro"; „Don Giovanni" und „Cosi fan tutte".

Er hat mehr als 42 Libretti geschaffen, bearbeitet,

übersetzt, mit Genie und der Kunst authentischer Theaterdichter, sogar Plagiate sich so zu eigen zu machen, daß sie als typische Beispiele ihres Stils gelten. So machte er aus Vorlagen von Shakespeare, Calderon, Tirso de Molina, Molière, Voltaire, Goldoni, Beaumarchais, Marmontel, Quinault, Favart, Laharpe, Ayrenhoff und einem Dutzend anderer, insbesondere solcher, gegen die er Pamphlete publizierte, bevor oder nachdem er sie benützt hatte, „Originaltexte" von Da Ponte.

Dieser gerissene Theaterautor hat aus hundert übernommenen Figuren mit Szenen, Einfällen und sogar zuweilen mit den Worten anderer Autoren seine Figuren gemacht. Don Giovanni, Figaro, Leporello, Susanna mit ihrem Grafen Almaviva, Cherubino, Basilio, Bartolo, der alte Philosoph Don Alfonso, Don Ottavio mit Donn'Anna und dem Steinernen Gast, die von Don Juan wie von Leporello geprellte Donn'Elvira und gar das rührend komische Liebespaar vom Lande, Masetto und Zerlina gehören dem Mozart und dem Da Ponte, wie die „giocosen" Figuren seiner „Liebesschule", für die man kein Vorbild kennt; „Cosi fan tutte".

Aber die Meisterfigur eines ausgelassenen Komödienautors hat er aus sich selbst gemacht, aus dem Lorenzo Da Ponte, der unter all seinen Opernhelden zugleich die possierlichste und die ernsthafteste Figur ist, wollüstig wie sein Don Juan, provokant wie seine Unzufriedenen aus dem vierten Stand, Leporello und Figaro, schlagfertig wie seine Susanna, tragisch sentimental wie seine Donn'Anna und Donn'Elvira, verliebt wie die meisten seiner Figuren, und so vielfach ein Opfer der Zeitgenossen wie sein Steinerner Gast.

142

Ja er spielt in seiner Lebensbeschreibung hundert verschiedene, oft tragische Figuren. Er übernimmt in seinen
Alltag Intrigen, die man auf dem Theater braucht, um
die Zuschauer zu spannen, und er zeigt jenen Edelmut,
dem man nachsagt, er sei im Theater zuhause. Er war
kein Tugendheld, wie er in seinen Memoiren erscheinen
will, und kein skrupelloser Abenteurer, wie ihn gewisse
Biographen zeigen.

Er hungerte, als sei er zum Hungern vorausbestimmt,
prasste wie einer, den das Schicksal zum Prasser geschaffen
hat, sozusagen mit demselben Feuer, mit dem gleichen
Talent für das Auf und Ab des Lebens. Jedes Experiment
seines Lebens hat er glorios begründet und pompös zum
Scheitern gebracht. Aber wo jeder andere am Ende gewesen wäre, fing er unverdrossen von neuem an, kam
wieder herauf und stürzte wieder, stieg und fiel mit der
Balance eines Seiltänzers.

So lebte er zwischen dem Triumph und dem Bankrott,
authentisch in Vorzügen und Fehlern, ein Leben voller
Peripetien, so drollig und pathetisch, wie er es beschrieben hat, voller Verständnis für die Schwächen und
den Glanz, für die Tragik und die Komik der Menschen, wenn auch seltener für seine eigene Komik und
Tragik.

Alle paar Jahre kommt er in ein fremdes Leben oder
ein fremdes Land, zu neuen Menschen und Berufen, mit
nichts versehen, als einer guten Figur, einem hübschen
Gesicht, den strahlenden schwarzen Augen, einnehmen-
den Manieren, mit Mutterwitz und Charme, und seinem
Talent, Menschen zu gefallen, und seiner improvisato-
rischen Beredsamkeit, aber ohne Geld, ohne festen Beruf,

ohne Beziehungen, meist der Sprache des Landes unkundig, und binnen einem Jahr wird er in Portogruaro aus einem Schüler der gefeierte Lehrer seiner Mitschüler, in Trevibo der Vizerektor eines berühmten Seminars, in Venedig ein Freund von Autoren und Mäzenen, und ein „Improvisator", der mit Erfolg auftritt, in Wien, nach einem Jahr, aus einem unbekannten Verseschmied, der nie ein Libretto geschrieben hat, der Dichter der Theater Josef II.; er wird des Kaisers und der Damen Günstling, ein Reformator des europäischen Librettos, ein Inspirator Mozarts, er geht mit Erzherzögen und Genies um und schläft mit Sängerinnen, und Mädchen aller Klassen, ein Fürstendiener und ein Rebell.

Aus Wien verbannt, und unterwegs nach Paris, mit einem Empfehlungsschreiben des Kaisers Josef II. an dessen Schwester Marie Antoinette, erfährt Da Ponte, man habe die Königin ins Gefängnis gebracht, und die Armee der Revolution rücke gegen Mainz vor. Da macht er kehrt und geht mit seiner jungen Frau nach London, wie ihm Casanova geraten und seine Frau gewünscht hat, und kommt mit fünf Guineen an; die wenigen Menschen, die er kennt, weisen ihn kalt ab; wie mehrmals zuvor muß er seine Kleider, seine Wäsche verkaufen, für einen Bissen Brot, er ist schlimmer als unbekannt, nämlich verrufen und gestürzt, und erreicht in einem Jahr einen Gipfel seines Berufes, wird der Dichter der italienischen Oper in London, hat Erfolg, verdient Geld, ist berühmt, führt viele Geschäfte, elf Jahre lang, als Operndichter und Operncafépächter, als Geschäftsführer seines Direktors, des Impressarios vom King's Theatre, William Taylor, als Drucker, der auf seiner eigenen Druckmaschine seine

144

und anderer Autoren Werke druckt, ein Verleger, ein Inhaber einer italienischen Buchhandlung in London, Teilhaber einer Klavierfabrik, eines Musikverlags; er nimmt die Honorare seiner Textbücher ein und macht Wechselgeschäfte, die ihm erst Gewinn bringen, ihn dann ins Schuldgefängnis führen. Er pumpt und leiht und empfängt Geld von Mäzenen und Freunden, ja von berühmten Kollegen wie Mathias, er schreibt neben einer Kantate und der Übersetzung von zwei französischen Libretti, sieben neue Operntextbücher für Vicente Martin y Soler und für Peter Winter. Und er hat vier Kinder mit seiner Frau, die mit ihrer Schwester Luisa das Opernbufett leitet und auch als Tänzerin auftritt.

Freilich stürzt er wieder, von Wechselklägern und der eigenen Unrast verfolgt, und dreiundreißig Mal von Schuldhaft bedroht. Er schickt seine Frau und seine vier Kinder nach Amerika voraus, folgt in einem halben Jahr, landet ohne Geld in einem Land, wo italienische Literatur, Musik und Oper so unbekannt sind, wie er selbst, und ergreift mit 56 Jahren und vier Kindern und einer Frau, die in Elisabeth Town in New Jersey ihm das fünfte Kind gebärt, ein Dutzend Berufe, hat Erfolg und Mißerfolg, gewinnt einflußreiche Freunde, macht Geld und Schulden, erwirbt Häuser und Land, hat in Sunbury in Pennsylvania vier Diener und einen Wagen, ist der zweitgrößte Steuerzahler von Sunbury und baut das erste dreistöckige Ziegelhaus im Distrikt; hat in New York ein Pferd, zwei Diener, ein Kabriolett und geräumige, teilweise prächtige Wohnungen, und verdient dreitausend Dollar im Jahr, wenn es schlecht geht, — was bekömmlich genug ist.

Er geht mit den feinsten Leuten Amerikas um, wird

von der „besten" Gesellschaft verwöhnt, pumpt alle Freunde und sogar seine Schüler an, wird 1811 mit 62 Jahren amerikanischer Bürger und ein begeisterter Amerikaner, wird mit 75 Jahren am Columbia College in New York Amerikas erster Universitätsprofessor für italienische Sprache und Literatur. Ja er hat Einfluß und genug mächtige Freunde, um die erste italienische Operntruppe, mit Manuel Garcia und der Malibran, in New York und Philadelphia, mit Macht zu fördern. Er bewirkt die erste Aufführung von Mozarts Don Giovanni in New York. Er bringt eine zweite italienische Operntruppe, unter Montrésor, nach Amerika. Er hat mit 83 Jahren durch schiere Begeisterung und sein Ansehen eine Gruppe reicher Amerikaner dazu verführt, einhundertfünfzigtausend Dollar für den Bau des ersten Opernhauses in New York aufzubringen. Da Ponte führt dort italienische Opern auf, mit dem größten publizistischen Erfolg und einem Defizit, das er aus eigener Tasche bezahlt. Im selben Jahr druckte er seine „Sonette zum Tod von Anna Celestina Ernestina Da Ponte", seiner geliebten Nancy.

Er publiziert mit literarischem Erfolg seine Schriften italienisch und englisch, hält auf englisch einen Vortrag „Über Italien", zum Ruhme Italiens, gegen den Angriff eines Advokaten Phillips, ist auch auf englisch ein hinreißender Redner, sein Diskurs ist eines der literarischen und gesellschaftlichen Ereignisse, „ganz New York" lauscht. Im selben Jahr, 1821, erscheint der Vortrag gedruckt, italienisch und englisch. Er verteidigt 1825 die italienische Literatur gegen Angriffe des später berühmten Historikers William Hicking Prescott in der North American Review, der Ariosts Orlando furioso und Bernis

Orlando inamorato verrissen hat. Er publiziert einen Essay über Dante in der New York Review. Geistreiche Männer und schöne Frauen suchen seine Gesellschaft. Er ist im hohen Alter mit Recht der berühmteste Italiener seiner Zeit in Amerika, und er hat mehr für die italienische Literatur und Oper in Amerika erreicht als irgend einer.

Dem Lorenzo Da Ponte haben Mitwelt und Nachwelt unrecht getan, weil er zwischen allen Stühlen saß: Zwischen zwei Zeitaltern, zwei Religionen, vier Ländern, vielen Klassen und Sprachen, und zwei Dutzend Berufen.

Er hat sich selber unrecht getan, im Leben und in seinen Memoiren. Überall gefördert, sah er sich überall verfolgt. Er war ein Charmeur und ein Polemist. Ihn verfolgten venezianische Staatsinquisitoren und die Brüder, Gatten, Liebhaber seiner Freundinnen, Kaiser Leopold II. und die österreichische Zensur, Polizisten und Polemisten in fünf Ländern, die römische Kirche, amerikanische Sheriffs, englische Wechselhändler. Ihn jagten „Widersacher, Weiber, Schulden", Landsleute und Fremde, sogar intime Freunde.

Trotz einem Schwarm von Geliebten und einer stets wachsenden Familie, zu Hause, in Kaffeehäusern und bei Hofe, zwischen Gönnern und Mäzenen und immer neuen Freunden fühlte er sich fast immer allein. Er stand ohne Clique da, ohne Partei, ohne Nationalität. Er war allein mit zu vielen Talenten, ein Exilierter in immer anderen fremden Ländern, ein Verbannter und Flüchtiger, ein getaufter Jude in einer christlichen Welt, ein Poet zwischen Philistern, Pedanten und Puritanern.

Vielgeliebt, gewann er noch im hohen Alter neue

Freunde, und fühlte sich allein, und verkannt. 1835 schrieb er mit 86 Jahren: „Seit Monaten hatte ich keinen einzigen Schüler. Ich der Schöpfer der italienischen Sprache in Amerika, der Lehrer von mehr als zweitausend Personen, deren Fortschritte Italien in Erstaunen setzten. Ich der Poet von Josef II., der Autor von 56 Dramen, der Inspirator von Salieri, Weigl, Martin, Winter und Mozart! Nach 27 Jahren harter Arbeit habe ich keinen Schüler mehr! Schier neunzig Jahre alt habe ich kein Brot mehr in Amerika!" (Vorrede zu Frottola per far ridere. Scherzlied, um lachen zu machen.)

Er war ein Naiver, der den Raffinierten spielte, ein Offenherziger, der überall Intrigen witterte und sie durch Intrigen bekämpfte. Er liebte die Tugend aus Begeisterung für sie und verletzte die Sitten und Sentimente seiner Umwelt. Ein Priester, lebte er mit der Frau eines anderen in Venedig (der freilich auch mit einer anderen Frau lebte) und hatte drei ehebrecherische Kinder von ihr, eines gebar sie auf offener Straße, eben da er ein Rendezvous mit ihr hatte, um sie aus dem Haus ihres Gatten zu entführen. Im Priestergewand spielte er auf seiner Geige in einer lassiven Tanzschule und verwundete mit einem Messerstich eine Eifersüchtige, die seine Freundin prügelte.

Er lebte in Wien wieder mit der Frau eines anderen und mit des Gatten Billigung ungeniert, der offizielle Poet der kaiserlichen Theater. Sie war die Sängerin La Ferrarese, und trat mit ihrer Schwester in Da Pontes und Mozarts Oper Cosi fan tutte auf.

Da Ponte lebte in Wien mit einer Sechzehnjährigen und deren Mutter, und behielt das Mädchen zehn Jahre und führte es in seine Verbannung nach Triest. In Dresden machte er zwei Schwestern und ihrer jungen Mutter so ausgelassen den Hof, daß er nach einem Jahr auch aus Dresden flüchten mußte.

Ein katholischer Priester, heiratete er eine Jüdin, in Triest oder London, deren Vater ein Deutscher, deren Mutter eine Französin, die in London geboren, eine Engländerin war, Nancy Grahl, mit der er von 1792 bis 1832 lebte, vierzig Jahre lang, und zwei Töchter und drei Söhne hatte, einer heiratete die Nichte von James Monroe, des Präsidenten der Vereinigten Staaten von Amerika, eine Tochter Fanny heiratete den Mathematiker und Astronomen am Columbia College in New York, Henry James Anderson, der ein Schüler und in „Ann Da Ponte's Boardinghouse" einer der Untermieter von Da Ponte war, und Enkel und Urenkel von Lorenzo Da Ponte gehören zu den reichsten und angesehensten Amerikanern.

Da Ponte war ein Sohn des Glücks, der sein Leben lang über sein Unglück klagte, aber nie seine strahlende Laune, seinen Charme, seinen unbesieglichen Optimismus und seine beispiellose Tatkraft verlor. Vor lauter Jammer lachte er laut. Noch unter Tränen machte er schon Witze. Er hatte häufig den Himmel auf Erden und malte zuweilen eine Hölle.

Er führte ein heiteres Leben, trotz aller Peripetien. Mit welcher Frechheit und Freiheit trat er überall auf, siegessicher vor Bischöfen und Kaisern, vor Genies und den schönsten Frauen. Wie selten ist diese naive Unabhängigkeit von allen äußeren Umständen, dieses tänzerische Geschick zwischen Revolutionen und dem Untergang von Republiken und Epochen, diese Leichtigkeit, mit der er in jede Gesellschaft, die gute und die zweideutige, ebenbürtig eintrat!

Er war kein Scharlatan, kein Abenteurer oder Spieler, nicht auf falschen Adel gestützt, wie der Graf von St. Germain oder Giacomo Casanova, Chevalier de Seintgalt. Er war kein Hochstapler wie Cagliostro. Er war ein Mann von eminenten Talenten und berühmten Leistungen, mit einer gediegenen klassischen Bildung und einem so brillanten Gedächtnis, daß er ganze Gesänge von Dante oder Ariost oder Tasso, und lateinische oder griechische Klassiker kapitelweise auswendig vortrug. Er improvisierte lateinische oder italienische Oden. Er war einer der erfolgreichsten Theaterdichter seines Jahrhunderts, ein Equilibrist der Sprache, ein Lehrer der Literatur, ein Mitarbeiter und Freund der berühmtesten Komponisten seiner Epoche.

Wo er auftrat, hatte er Glück. Das Unglück meisterte er mit seiner außerordentlichen Fähigkeit zum Genuß, zum schnellen Erfolg, zur geschwinden Arbeit, zur großartigen Anpassung. Er lebte nicht für den Nachruhm und fand ihn.

Ein Komödiant, der sich ernst nahm, hat er Dutzende glorreiche und klägliche Rollen bis zur Perfektion gespielt, meist mit Behagen, ja mit solcher Konsequenz, als sei er eben für diese Rolle geboren. In hundert Rollen war er stets er selbst. Lorenzo Da Ponte.

Dort verkaufte er sein Hemd und seinen Mantel für ein Stück Brot. Da bewirtete er Fürsten fürstlich. Dort borgte, da verschwendete er. Stets half er anderen und forderte die Hilfe anderer. Vielen schenkte er Geld und bat viele um Geld.

Im Getto geboren, lebte er immer im Exil und fühlte sich zuhause. Neun Jahre verstand er es, der Günstling des Kaisers Josef II. zu bleiben. Dem Kaiser Leopold II. schrieb er wie von gleich zu gleich, und mußte es teuer bezahlen. Er liebte den Erfolg, den Ruhm, und seine Karriere, aber er gab sie preis, für eine Frau, wie in Venedig für Angela Tiepolo, wie in Wien für La Ferrarese, wie in Triest für Nancy Grahl. Er verstand zu schmeicheln, aber für ein freies Wort vergaß er jede Rücksicht. Weil er wie Rousseau gegen die Tyrannen sprach, wurde er in Treviso seines Amtes entsetzt. Weil er in Wien zu offen gegen einen absoluten Herrscher sprach, wurde er aus Österreich verbannt. Ja sogar für einen frechen Vers, für ein polemisches Sonett wie jenes gegen die Gegner des venezianischen Rebellenführers Pisani, das zu seiner Verbannung führte, oder für die Wollust, auf blutige Pamphlete mit blutigen Pamphleten zu erwidern, setzte er alles aufs Spiel, seine Person, seine Würde, sein Amt, seinen Beruf, seine Freiheit, sein Leben, wie ein Spieler, der alles auf eine Karte setzt.

Aus Italien verbannt, schuf er sich mit Imagination in seinen Exilländern ein neues Italien, ein Zauberreich der italienischen Literatur, Musik und Oper. In den fremden Ländern, wo immer er lebte, begannen junge Menschen Italienisch zu lernen, italienische Autoren zu lesen, da spielte man italienische Opern, da baute man ein prunkvolles Theater für die italienische Oper.

Er war ein Allerweltsgenie, und dreimal ersten Ranges: Als Librettist Mozarts! Als Autobiograph! Als Propagandist Italiens!

Dieser Impresario seines Lebens und seiner Lebensbeschreibung ist dennoch in seinen Memoiren so authentisch, wie wenige Autobiographen. Er hat bunteren Stoff als die meisten.

Was hat er nicht alles zu erzählen, schier ein ganzes Jahrhundert, Wahrheit und Dichtung! Und welche neunzig Jahre, diese zweite Hälfte des achtzehnten und knappe erste Hälfte des neunzehnten Jahrhunderts.

Literatur und Musik waren sein Leben. Er war eine Komödienfigur, die Komödien schrieb. Er führte sein Leben nach den Rezepten seiner Libretti. War der Zufall der Komponist seines Lebens, so nützte er den Zufall aus. Jede Leidenschaft ward zum neuen Dirigenten seines Lebens.

Der findige und philiströse Wiener Autor Gustav Gugitz, der in Dresden 1924 bei Paul Aretz in drei Bänden die „Denkwürdigkeiten des Venezianers Lorenzo Da Ponte" herausgegeben und im Vorwort und in Anmerkungen bitterböse kommentiert hat, ein Gegner Lorenzo Da Pontes wie Casanovas, den er gleichfalls in Kommentaren diffamiert hat, schreibt, Da Ponte sei „sein eigener und einziger Lobredner" gewesen. Auch Da Ponte schreibt zu unrecht in seinen Memoiren: „Aber mein ganzes Leben war nichts als eine Reihe von Wohltaten und Begünstigungen, die ich einem Haufen von Undankbaren und Verrätern erwies; und ich bin bemüht, diese Wahrheit zu beweisen . . ."

Gugitz, Nicolini und andere Biographen haben den Lorenzo Da Ponte einen Abenteurer geheißen, ein Gegenstück zu Casanova.

Was für ein Abenteurer war Lorenzo Da Ponte, der so viel gearbeitet, so viel geschrieben, so viel für die Kunst und die Bildung ganzer Völker geleistet hat, der ein liebe-

152

voller und erfolgreicher Vater, der vierzig Jahre lang ein nicht unbedingt treuer aber hingebender Ehemann, der ein würdiger Patriarch war, ein Lehrer und Erzieher, den Tausende seiner Schüler verehrten.

Da Ponte muß, wie Casanova, wie Aretino, wie Boccaccio, für seinen Witz, für seine erotische Heiterkeit, für seine politische Anstößigkeit, für seine Grazie, für sein satirisches Komödientalent mit allen Vorwürfen bezahlen, mit denen Pedanten, Heuchler und reaktionäre Konformisten die Freiheit und die Natur, die Nacktheit und die soziale Empörung bekämpfen.

Lorenzo Da Ponte wurde im Getto geboren, in Ceneda, im Venezianischen, am 10. März 1749, wenige Monate vor Goethe. Er hieß Emanuele Conegliano.

Schon mit fünf Jahren verlor er seine Mutter, Ghella (Rachele Pincherle), die im Kindbett starb, mit vierzehn verlor er seinen Gott, seinen Namen, seine Zugehörigkeit zum Getto, weil sein Vater, der Lederhändler und Gerber Geremia Conegliano, ein Witwer von 41 Jahren und Jude, die sechzehnjährige Christin Orsola Pasqua Paietta heiraten wollte.

Am 29. August 1763 taufte der Bischof Lorenzo Da Ponte den Vater und seine drei Söhne Emanuele, Baruch und Anania feierlich in der Kathedrale. Er schenkte ihnen nach altem Brauch den eigenen Namen. Nun hießen sie Gasparo, Lorenzo, Girolamo und Luigi Da Ponte. Auch Ceneda, das Städtchen zwischen den Bergen, nahe Pieve di Cadore, dem Geburtsort Tizians, wechselte 1886 seinen Namen, und bildete mit dem Kastell Serravalle die Gemeinde Vittorio Veneto. Zehn Tage nach der Taufe heiratete Gasparo seine Sechzehnjährige, die ihm drei Söhne und acht Töchter gebar. Lorenzo hatte mit vierzehn eine Stiefmutter, die kaum zwei Jahre älter als er, dauernd in die Wochen kam.

Da Pontes Kritiker werfen ihm vor, er verschweige, daß er Jude war, offenbar verübeln sie ihm, daß er Jude war. Da Ponte machte seinem Vater den Prozeß, er habe ihn vernachlässigt, mit elf konnte er kaum lesen und schreiben. Aber er hat im Cheder Hebräisch gelernt, die Thora, den Talmud studiert. Mit elf Jahren erhielt er einen Lateinlehrer, eine lateinische Grammatik und Faustschläge auf den Kopf. Schon auf der zweiten Seite beschreibt Da Ponte wie der ergrimmte Vater, heimlich Zeuge der Faustschläge, den grimmigen Lehrer bei den Haaren aus der Stube und die Treppen hinunterzieht und ihm Tintenfaß, Federn und Grammatik nachwirft. „Für mehr als drei Jahre sprach man nicht mehr von Latein."

Lorenzo, der in Ceneda der „witzige Ignorant" hieß, fand auf dem Dachboden alte Bücher, auch von Metastasio, dessen Verse ihn „wie Musik" berauschten.

Fünf Jahre lang zahlte der Bischof Da Ponte, später der Kanonikus Ziborghi Kosten und Unterhalt der Brüder Lorenzo, Girolamo und Luigi Da Ponte in den Seminaren von Ceneda und Portogruaro. Gegen Ende 1770 war Lorenzo in den „Stand der Religion" getreten, er empfing die niedern Weihen. In den Memoiren wirft er dem Vater vor, daß er ihn zum Priester bestimmt habe, obgleich dieser Stand „gegen meine wahre Berufung und gegen meinen Charakter ging".

Der Bischof von Concordia ernannte Lorenzo im November 1770 zum Instruktor im Seminar von Portogruaro, im nächsten Jahr zum Professor für Rhetorik, am 14. April 1772 zum Vizerektor oder Dekan für vierzig Dukaten jährlich. Schon hat er dreißig bis vierzig Schüler, zum Teil seine Klassengefährten. An dieser Stelle der Memoiren erzählt Da Ponte, er habe in frühen Jahren Hebräisch gelernt, und zitiert den hebräischen Ausspruch eines Rabbiners, was ein deutlicher Hinweis auf seine jüdische Herkunft ist.

Schon fand Da Ponte, wie er schrieb, „unzähmbare Verfolger", zwei oder drei Lehrer, die ihm die Karriere und den literarischen Ruhm neideten. Da Ponte ließ auf eigene Kosten, anonym, gereimte Pamphlete gegen diese Gegner in Venedig drucken.

Am 27. März 1773 wurde er als Priester ordiniert und las die erste Messe.

Mitten im Erfolg, mit der Aussicht auf ein gerades Leben als Schuldirektor und Lokalpoet, gab er im Herbst 1773 mit einer jähen Wendung alles auf, wie er sagte, um den Feinden zu entgehen, in Wahrheit für eine Freundin in Venedig. Da Ponte nennt sie nicht. Ein Jahrhundert später hat Von Löhner sie ausfindig gemacht, Angela Tiepolo, aus der angesehenen Familie, Ihr Mann, Giulio Maria Soderini, ein Patrizier, bei der Eheschließung fünfzig, also dreißig Jähre älter als sie, hatte sie nach der Geburt ihres zweiten Sohnes 1773 verlassen, wurde Geistlicher und Abate, wie Da Ponte.

Der junge Priester Lorenzo Da Ponte, ohne Geld und Gönner, ließ sich „von den allgemeinen Sitten, von der Bequemlichkeit und dem Beispiel zur Wollust und zu den Wonnen des Pläsiers verführen". Während dieses Jahres der Leidenschaft für Angela (das dem alten Da Ponte wie drei Jahre vorkommt) vergaß er über Gastmählern, Spielsälen, Liebesnächten die Literatur und sein Studium. Girolamo Tiepolo, Angelas Bruder, machte aus dem Liebhaber der Schwester „seinen Sklaven, Vertrauten, Schatzmeister" und einen Spieler. Bald zog Lorenzo ins Haus der Geliebten, wo sie ihm eines Nachts, da er von einer anderen Dame heimkam, aus Eifersucht ein Tintenfaß ins Gesicht warf, wobei ihm Scherben die Hand verletzten; als er eingeschlafen war, schnitt sie ihm wie Dalila dem Samson die Haare ab, um ihn im Haus, in ihrem Bett, in ihrem Schoß festzuhalten.

Immerhin ging Lorenzo häufig abends ins „Café der Literaten", dem Treffpunkt der „Akademie dei Granelleschi", die Carlo und Gasparo Gozzi gegen solche Neuerer wie Carlo Goldoni gegründet hatten.

Goldoni hielt dem Gozzi vor, als er ihn zufällig in einer Buchhandlung traf, es sei leichter, Stücke zu kritisieren als sie zu schreiben.

Gozzi erwiderte, es sei noch leichter, bessere Stücke zu schreiben. Er habe nicht übel Lust, das venezianische Kindermärchen auf die Bühne zu bringen, „Liebe zu den drei Orangen". Gozzi tat es, parodierte darin den Goldoni, zum Vergnügen von ganz Venedig, und verdrängte mit diesem und anderen Stücken wie „Turandot" und „Die Feen" für eine Weile Goldonis Komödien.

Gasparo Gozzi, Autor der „unnützen Memoiren" und in seiner Wochenschrift „Osservatore Veneto" einer der besten satirischen Journalisten Italiens, wurde ein Freund des um 36 Jahre jüngeren Da Ponte und trat für ihn ein, insbesondere beim Sittenprozeß der Inquisition gegen Da Ponte. Er eröffnet die illustre Reihe der Freunde Da Pontes. Trotz seiner stürmischen Affäre mit Angela Tiepolo fand Da Ponte Zeit und Gelegenheit zu schier märchenhaften Abenteuern. Er erhielt zwei Heiratsangebote, eines von Matilda, der entlaufenen Tochter des Herzogs von Matalina in Neapel, die mit ihm ins Ausland fliehen, und ihr Bett, ihr Gold, ihre Juwelen, ihr Leben teilen wollte, und das zweite Angebot für die Tochter eines 78jährigen Bettlers, der bettelnd zum Millionär geworden war, und den Lorenzo als sein Schwiegersohn beerben sollte. Die eine Geschichte erinnert an Boccaccio, die andre an Oliver Goldsmith.

Da Ponte verdiente etwas Geld als Lehrer der Söhne einer reichen Dame, die ihn eines Tages, da er kahlgeschoren eine Weile ausgeblieben war, im Haus der Tiepolos aufsuchte. Entsetzt von der tollen Wirtschaft entließ sie ihn. Vom Bruder Angelas bedroht, ohne Aussicht auf Einnahmen, beschloß Da Ponte, Angela und Venedig zu verlassen. Im Oktober 1774 wurde er im Seminar von Treviso für 217 Lire im Jahr Professor für Literatur, indes Angela einen neuen Liebhaber nahm, einen Spieler.

Nach einem Jahr lesen seine Schüler bei einer öffentlichen Schulfeier vierundzwanzig lateinische und italienische von ihm verfaßte Gedichte und eine Vorrede in Prosa vor, wo er wie Jean Jacques Rosseau behauptete, der Mensch sei in der Natur glücklicher als in der Gesellschaft, kein Gesetz habe einen vernünftigen Zweck, kein Staat absolute Rechte über seine Bürger, die Eltern keine absoluten Rechte über ihre Kinder. Die herrschende Klasse fühlte sich angegriffen. Der Bischof und der Zensor wurden gerügt, alle venezianischen Schulen wegen ihres „Radikalismus" geprüft. Bei Strafe von Gefängnis oder Verbannung durfte Da Ponte nie mehr unterrichten, weder privat noch an Schulen und Universitäten. Man hatte vor Gericht seine freche lateinische Ode „Der Amerikaner in Europa" und einen Sermon vorgelesen, „Der Mensch, von Natur frei, wird durch Gesetze zum Sklaven."

Gasparo Gozzi, Bernardo Memmo und Pietro Antonio Zaguri hatten für Da Ponte Partei ergriffen. Bernardo Memmo, einst ein Schüler Casanovas, jetzt sein Freund, ein Autor, Patrizier und Mäzen, nahm Da Ponte in sein Haus und warf ihn vier Monate später wieder heraus, als Memmos viel jüngere Freundin Teresa, ein Mädchen aus dem Volk, den Lorenzo anklagte, er habe sie verführen wollen.

Mit zwei Scudi in der Tasche floh Da Ponte nach Padua, lebte 42 Tage von Brot, Oliven und Kaffee, gewann im Café beim Schach des Reisegeld nach Venedig, versöhnte sich auf den Rat seines Freundes, des Dichters Caterino Mazzolà, mit Memmo.

Als Memmo ihn wieder in sein Haus einlud, mietete Da Ponte anderswo ein Zimmer und wurde Sekretär des früheren Senators Zaguri. Durch ihn oder Memmo lernte er Giacomo Casanova kennen. Sie wurden Freunde. Casanova war damals 52, Da Ponte 28 Jahre alt. Da Ponte, ein schöner, schlanker Mensch, der sich ein wenig gebeugt hielt, hatte eine Adlernase, sinnliche Lippen, schwarze strahlende Augen, schwarze Haare, lispelte, sprach am liebsten venezianische Mundart, war beredt, witzig, boshaft und einnehmend. Er hatte mit seinem Bruder Girolamo den lokalen Ruf der „Improvisatoren von Ceneda" gewonnen. Ein Improvisator sprach oder sang ex tempore zu jedem beliebigen Thema in Versen und berauschte sich und die Hörer mit scheinbar geistreichen und poetischen

Wortkaskaden. Diese Kunst war eben in Mode gekommen.

Casanova, endlich aus der Verbannung heimgekehrt, gab seine Zeitschrift Opuscoli Miscellanei heraus, wo er nur seine eigenen Arbeiten druckte.

Er publizierte drei Bände seiner Übersetzung der Ilias, ein Pamphlet gegen Voltaire und sein Pamphlet gegen Grimani und Carletti, Né Amori, Né Donne, und empfing ein Gehalt als Geheimagent der Inquisition für über 50 Zensurberichte, unter dem Namen Antonio Pratolini.

Da Ponte und Casanova trafen einander später in Wien, Prag und Dux, korrespondierten häufig und waren einer vom anderen fasziniert. Da Ponte zufolge zerstritt er sich kurz vor seiner Flucht aus Venedig mit Casanova wegen der lateinischen Prosodie, Casanova zufolge, weil er Da Pontes Verse nicht geziemend gerühmt habe. „Aber ein Schmeichler ist kein Freund", wie Casanova an Collalto schrieb.

Im April 1779 war der dreißigjährige Da Ponte zur Witwe Laura Bellaudi gezogen, bei der ihre Tochter, ihr Sohn Carlo und dessen zwanzigjährige Frau Angioletta wohnten, einer Florentinerin, deren Vater eine Tanzschule in Venedig führte. Als die Tochter der Witwe, und bald auch die Witwe die Angioletta mit dem neuen Mieter Da Ponte in durchaus verfänglichen Positionen überraschten, leugnete er trotz dem Augenschein alles ab und schwor: „Möge mich Gott, wenn ich gerade die Messe lese, mit einem Blitz treffen, wenn das wahr ist."

Da Ponte, ein Postillon d'amour zwischen Angiolettas Mann und dessen Freundin Francesca Bertati, zeigte einen Brief von Carlo Bellaudi an seine Francesca, den Da Ponte

159

indiskreterweise gelesen hatte, der Angioletta; ihr Mann Carlo versprach seiner Francesca die Ehe, sobald die hochschwangere Angioletta als Opfer ihrer Geburt oder durch Gift aus dem Weg geräumt wäre.

Da Ponte lockte den Carlo aus der Wohnung, bis Angioletta ihre Sachen heimlich in eine Gondel geschafft hatte. Als Da Ponte auf dem Platz, wo er sie treffen sollte, endlich eintraf, lag Angioletta hilflos auf dem Pflaster, in den Wehen. Er schaffte sie ins Haus seines Vetters, wo sie eines Mädchens genas. Am anderen Tag zog Da Ponte im Priestergewand mit dem Vetter und dessen Freundin, die den Säugling trug, ins Haus Bellaudis, der aber das Kind nicht anerkannte, wonach es im Findelhaus landete. Als Zaguri dem Da Ponte Vorwürfe machte, erwiderte Lorenzo, das seien alltägliche Zwischenfälle. „Zu viele Zwischenfälle! Herr Abate!" erklärte zornig Zaguri. „Und dieser Zwischenfall, da Sie einer Frau, die Sie geschwängert haben, auf offener Straße bei den Wehen beistehen, soll für einen Sekretär in meinem Haus der letzte sein!"

Zaguri entließ ihn, worauf ihn Giorgio Pisani zum Erzieher seiner Söhne machte. Pisani war der Führer verarmter Patrizier, der Barnaboti, die so hießen, weil die meisten im Pfarrsprengel von San Barnaba wohnten. Am 8. März 1780 wurde Pisani zum Prokurator von San Marco gewählt, von den Inquisitoren aber drei Monate später in der Festung von Verona eingesperrt. Da Ponte hatte sich am Wahlkampf beteiligt. Sein Sonett in venezianischer Mundart gegen Pisanis Gegner machte in Kaffeehäusern und Tavernen Venedigs die Runde und dem Da Ponte mächtige Feinde.

Der verlassene Gatte Carlo Bellaudi hatte schon am 28. Mai 1779 im Löwenkopf von San Moisé eine anonyme Anzeige deponiert, wonach Da Ponte „eine verheiratete Frau verführt habe, mit ihr ohne Sakramente lebe und illegitime Kinder mit ihr gezeugt habe". Es kam zum Prozeß gegen Da Ponte. Man vernahm fünfzig Zeugen.

Da Ponte hatte ein Jahr mit Angioletta bei seinem Vetter, dann mit ihr in einem Zimmer beim Rialto gewohnt, nahe der Kirche San Luca, wo er als Priester die Messe las. Angioletta, die „Priesterhure", die Da Ponte als seine Schwester ausgab, hatte drei Kinder von ihm, die im Findelhaus landeten. Als der Haftbefehl gegen Da Ponte wegen Gotteslästerung, Frauenraub, Ehebruch und öffentlicher Konkubinage erging, am 13. September 1779, war er schon in Görz, in Österreich. Am 17. Dezember 1779 erließ das Tribunal gegen den „Padre Lorenzo Da Ponte" das Urteil: 15 Jahre Verbannung. Sollte er gefaßt werden, drohten ihm sieben Jahre in den Pozzi, fensterlosen Löchern unterm Dogenpalast, wo man die Nahrung durch Mauerlöcher reichte.

In Görz blieb er vom September 1779 bis Dezember 1780. Er gewann durch literarische Arbeiten die Gunst des Adels, wie der Thurn, der Kobenzl. Ein lokales Theater gab ohne Erfolg seine Übersetzung einer Tragödie von Ayrenhoff und mit Erfolg seine Übersetzung des „Graf von Warwick" von La Harpe. Er wurde Mitglied der Görzer Filiale der römischen Akademie „Arcadia" unter dem Namen Lesbonico Pegasio. Wegen seines Gedichtes „Die Dankbarkeit oder die Verteidigung der Frauen" zog Graf Antonio d'Attems di Santa Croce mit Schwert, Stock und Pistole durch Görz, um den Abate Da Ponte für seine Beleidigung des Geschlechts der Attems zu züchtigen. Da Ponte, der bei seinem Drucker und Verleger Valerio de Valeri gewohnt hatte, zog als Hauskaplan zum Grafen Torriano (oder Thurn). Schließlich floh er nach Dresden, wo er vom Dezember 1780 bis März 1781 blieb. Sein Freund Caterino Mazzolà, der von 1781 bis 1796 Hofpoet des Kurfürsten von Sachsen war (und auch Clemenza di Tito für Mozart arrangiert hat), half dem Da Ponte, wie dieser dem Mazzolà. „Ich übersetzte oder bearbeitete bald eine Arie, bald ein Duett in Mazzolàs Operntexten, oft eine ganze Szene, die er mir immer vorher bezeichnete."

Da Ponte schrieb und druckte in Dresden sieben Bußpsalmen, wofür er vom Kurfürsten, dem Minister Graf Marcolini, und dem Hofkaplan Josef Huber, einem Exjesuiten, honoriert, später vom Poeten Ugo Foscolo in Florenz gerühmt wurde. Auch trugen sie ihm die Freundschaft des venezianischen Malers, Kupferstechers und Professors an der Dresdner Akademie, Giuseppe Camerata ein, der eine junge hübsche Frau und zwei Töchter von 17 und 15 Jahren hatte. Da Ponte machte der Mutter den Hof und verliebte sich in die Töchter. „Ich war glücklich, wenn ich mit beiden zusammen war, und würde mich gerne mit beiden zusammen verlobt haben." Schließlich stellte ihm die Mutter das Ultimatum, binnen 24 Stunden mit *einer* der Töchter sich zu verloben.

Da Ponte weinte vor Mazzolà um die beiden Mädchen. Mazzolà zeigte ihm die briefliche Warnung eines venezianischen Autors, Da Ponte wolle in Dresden den Mazzolà verdrängen. Da Ponte fuhr nach Wien. Hofkaplan Huber, sein Freund, gab ihm Reisegeld.

Sein Freund Mazzolà, der ihn loswerden wollte, gab ihm einen Empfehlungsbrief an den Komponisten und kaiserlichen Kapellmeister Antonio Salieri.

In Wien versprach Salieri, ihm bei Gelegenheit zu helfen. Da Ponte schickte sein Gedicht „Philemon und Baucis" an Metastasio, der seit fünfzig Jahren poeta laureatus in Wien war. Schon 1720 hatte ihn sein Melodrama „Die verlassene Dido" in Europa berühmt gemacht, es wurde von 61 Komponisten vertont, darunter von Scarlati, Händel, Galuppi, Hasse, Jomelli, Cherubini, Paisiello. Neben berühmten Tragödien hat er die erste Opera buffa geschrieben, zwei komische Intermezzi seiner Didone abbandonata, „l'Impresario delle Canarie", Parodien auf den Barockstil. Metastasio las beim ersten und einzigen Besuch Da Pontes seinen Gästen einige Strophen aus Da Pontes „Philemon und Baucis" vor, rühmte sie und forderte Da Ponte auf, weitere Strophen vorzutragen. Das war ein literarischer Erfolg.

Als Metastasio einige Wochen darauf starb, beschloß Da Ponte, den seit Monaten ein junger für die Literatur begeisterter Landsmann aufgenommen und bewirtet hatte, der Nachfolger Metastasio zu werden. Er war schier der letzte, um die erste Stellung eines Poeten in Europa zu gewinnen. „Zufällig hörte ich", schrieb Da Ponte, „der Kaiser Josef II. habe beschlossen, eine italienische Operntruppe in Wien anzustellen. Da erinnerte ich mich der Ratschläge Mazzolàs und nahm mir vor, der Hofdichter des Kaisers zu werden."

Mozart sagte einmal, man müsse in Wien unverschämt sein, um Erfolg zu haben. Ausgerüstet mit einem Gelegenheitslob Metastasios und einer Empfehlung Salieris, der freilich ein intimer Freund des Hofkämmerers und Intendanten der kaiserlichen Theater war, des Grafen Orsini Rosenberg, ward Da Ponte vielleicht wirklich, wie er erzählt, von Josef II. empfangen. „Wie viele Operntexte haben sie schon geschrieben?" „Eure Majestät, keine!"

„Gut, gut", erwiderte Josef II., „wir bekommen also eine jungfräuliche Muse."

Da Ponte wurde Poet der kaiserlichen Theater mit 1200 Gulden im Jahr, samt den Tantiemen für alle Komödien und Libretti, die er liefern würde, 20 Kreuzer für jedes verkaufte Textbuch. 1790 erreichte er sogar die Stempelbefreiung für die italienischen Opernbücher. In zehn Jahren schreibt er in Wien fünfzehn Libretti für Mozart, Salieri, Martin y Soler, Piticchio, Righini, Weigl. Er schreibt Texte für Oratorien, für Kantaten. Er ist der erfolgreichste Operntext-Autor in Europa.

Er hat seine Libretti mit der Kühnheit seiner Person und seines Jahrhunderts erfüllt. Er beherrschte die Szene, paßte sich verschiedenartigen Komponisten an. Er hat aus Puppen und Schemen banaler Librettisten in seinen besten Libretti mit sprachlicher und psychologischer Finesse wirkliche Menschen aus Fleisch und Blut gemacht, ja lebendige Theaterfiguren geschaffen, in einer knappen, theaterwirksamen, wie für die Musik geborenen Sprache. Kaum zum Hofdichter ernannt, besuchte Da Ponte, um sein Fach zu erlernen, den greisen, als Geizhals verrufenen Textdichter Varesi, der 300 Libretti besaß, und las, von Varesi bewacht, als wäre Da Ponte ein Dieb, zehn oder zwanzig dieser Libretti. „Welch ein Kitsch!" sagt Da Ponte. „Keine Handlung, keine Charaktere, keine Bewegung, keine Szenerie, keine Anmut der Sprache oder des Stils. Sie waren verfaßt, um lachen zu machen, doch schienen sie verfaßt, um weinen zu machen. Nicht eine Zeile mit Talent!"

Sein erstes Libretto schrieb Da Ponte für seinen Gönner Salieri. 1784 fiel diese Oper, „Reich für einen Tag", durch. Salieri schwor, nie wieder ein Text von Da Ponte! Fast ein Jahr lang zögerten Da Ponte und seine Komponisten vor einem neuen Auftrag, auch war er durch den Anschlag eines Eifersüchtigen erkrankt.

Ein junges Mädchen, bei dessen Familie Da Ponte wohnte, gab einem Bewerber den Korb, da er häßlich wie ein Teufel und sie in Da Ponte verliebt war. Dieser, in eine andere Dame im selben Haus verliebt, wußte nichts von der Neigung des Mädchens. Der Abgewiesene, ein Chirurg, fragte Da Ponte, der niedergeschlagen schien, nach dem Grund. Da Ponte klagte über ein Zahngeschwür, der Chirurg brachte ihm eine Medizin, mit der er täglich den Mund spülen, aber nichts davon verschlucken solle, es war Salpetersäure, wie Da Ponte zu spät erkannte. Das kostete ihn sechzehn gesunde Zähne und machte ihn für Monate magenleidend.

Graf Rosenberg Orsini schlug dem Kaiser Josef II. anstelle des erfolglosen Da Ponte den berühmten Abate Giambatista Casti vor, der eben mit Paisiello einen Erfolg in Wien hatte. Josef erwiderte, er habe schon einen Theaterpoeten. Er riet dem Da Ponte, einen Text für den jungen spanischen Komponisten Martin y Soler zu schreiben. Da Ponte und Martin hatten Erfolg mit einem Text nach Goldonis Komödie Bourru bienfaisant. Im selben Jahr wurden Opern von Gazzaniga, Mozart (Le Nozze di Figaro), Righini, nochmals Martin y Soler (Una Cosa Rara) und Stephen Storace aufgeführt. Alle sechs Opern hatten Texte von Da Ponte, die er wie im Fluge schrieb. Una Cosa Rara, ein Schlager in Wien und in Europa, wurde Da Pontes größter Erfolg zu seinen Lebzeiten.

Schon 1783 hatte er das Libretto von Glucks „Iphigenie in Tauris" übersetzt, und — wie man annimmt — den Text für die Oper Lo Sposo deluso geschrieben, die Mozart nie vollendet hat. 1781 war Mozart nach Wien gekommen und hatte auf Graf Rosenbergs Aufforderung fürs „National-Singspiel" seine „Entführung aus dem Serail" geschrieben, die am 16. Juli 1782 aufgeführt wurde. Kaiser Josef II. sagte zu Mozart: „Sehr schön, lieber Mozart, aber gewaltig viele Noten." Mozart erwiderte: „Halten zu Gnaden, Eure Majestät, genau so viele Noten, als nötig sind." Mozart erhielt keine weiteren offiziellen Aufträge in Wien. Erst acht Jahre nach seiner Ankunft bestellte der Kaiser bei ihm für die italienische Opera buffa eine Oper. Mozart wandte sich an Da Ponte. Cosi fan tutte soll nach einer Anregung des Kaisers einen wahren Vorfall in Wien oder Triest schildern.

Da Ponte lernte Mozart wahrscheinlich im Hause des Raimund Wetzlar, Freiherr von Plankenstern, eines getauften Juden kennen. Mozart war mit seiner jungen Frau Constanze im Januar 1783 im dritten Stock von Wetzlars Haus eingezogen. Wetzlar, ein Mäzen Mozarts, ward der Pate seines ersten Kindes, Raimund Leopold.

Mozart hatte am 7. Mai 1783 an seinen Vater Leopold geschrieben: „Wir haben hier einen gewissen Abate Da Ponte als Poeten. Dieser hat nunmehr mit der Correktur im Theater rasend zu tun. Muss per obligo ein ganz Neues Büchel für den Salieri machen. Das wird vor zwei Monaten nicht fertig werden. Dann hat er mir ein Neues

zu machen versprochen . . ." Schon anläßlich des Sposo
deluso hatte Mozart dem Vater geschrieben, er vertone
den Text nur, wenn der Poet alle Veränderungen mache,
die Mozart wünschte.

Mozart, ein gealtertes Wunderkind, gab in Wien Stunden und Konzerte, ein Virtuose, der vor Kaiser Josef II.
mit dem Pianisten Clementi um die Wette spielte, aber
als Opernkomponist gegen Salieri, Righini, Dittersdorf,
Kozeluch und andere damals berühmte Komponisten sich
nicht durchsetzen konnte. Da Ponte dagegen hatte eine
große Stellung, Erfolg, Ruhm und die Gunst des Kaisers
Josef II. Viele Komponisten, erfolgreicher als Mozart,
wünschten Texte von Da Ponte.

Als er sich bereit erklärte, für Mozart einen Text zu
schreiben, schlug Mozart eine Bearbeitung der Komödie
von Beaumarchais vor, Le Mariage de Figaro. Das Schau-
spiel hatte 1784 in Paris sensationellen Erfolg. Mozart
hatte 1780 in Salzburg F. L. Bendas „Barbier von Sevilla"
gehört, und Paisiellos „Barbier von Sevilla" 1783 in Wien.

Freilich fürchtete Mozart die politische Zensur für
seine Oper. Josef II. hatte die Komödie des Beaumarchais, „Die Hochzeit des Figaro", für Wien verboten.
Napoleon sagte später vom Figaro: «C'est la révolution
déjà en action.» Auch Baron Wetzlar war pessimistisch
und bot an, das Libretto dem Da Ponte zu bezahlen und
eine Aufführung in Paris oder in London zu vermitteln.
Da Ponte sagte, er sei sicher, ihre Oper bei Josef II. durchzusetzen. Er schreibt: „Wir arbeiteten Hand in Hand. Sobald ich eine Szene fertig hatte, setzte Mozart sie in
Musik, und in sechs Wochen war alles fertig." (Es waren
vielmehr sechs Monate!)

Mit Text und Partitur ging Da Ponte zu Josef II.

„Was"! rief der Kaiser. „Wissen Sie nicht, daß Mozart zwar ein ausgezeichneter Instrumentalmusiker ist, aber nur eine Oper geschrieben hat, und die hat nicht viel getaugt." Josef II. sprach von der Entführung aus dem Serail", die anderen neun Opern Mozarts kannte man kaum. Noch bei den Proben mußte Da Ponte den Widerstand der Sänger, Musiker und des Grafen Orsini Rosenberg gegen Mozart überwinden.

„Die Hochzeit des Figaro" wurde 1786 neunmal gegeben und bald durch Martins und Da Pontes Oper „Una Cosa Rara" verdrängt.

Nun wollten Salieri, Martin y Soler und Mozart neue Texte von Da Ponte. Er beschloß, die drei Texte zur selben Zeit zu schreiben, für Martin den „Baum der Diana" (er improvisierte den Einfall bei einer Mahlzeit mit Martin, und hielt den Text für sein Meisterwerk), für Salieri eine Bearbeitung nach „Tarare" von Beaumarchais, dem Mozart schlug er Don Juan vor. Pasquale Bondini, Direktor der italienischen Oper in Prag, hatte schon Mozart hundert Dukaten Vorschuß gegeben.

Seit Tirso de Molinas El Burlador de Sevilla 1630 aufgeführt war, haben viele den Don Juan auf die Bühne gestellt, Molière, Shadwell, Thomas Corneille, Goldoni, Grabbe, Puschkin, Musset, Dumas père, Lenau, Graf Alexei Tolstoi, Georges und Maurice Sand, Heyse, Tschechow, Giacinte Benavente, G. B. Shaw, H. de Régnier, H. Bataille, Edmond Rostand, Max Frisch . . . Auch E. T. A. Hoffmann, Byron, Barbey d'Aurevilly und Azorin, behandelten den Stoff. Schon 1676 setzte Purcell die Komödie Shadwells in Musik. 1761 kam Glucks Ballett

Don Juan, 1777 Vicenso Righinis Il Convitato di Pietra, 1782 und 1787 in Venedig Giuseppe Gazzanigas Oper Don Giovanni Tenorio o sia il Convitato di Pietra, nach dem Text von Giovanni Bertati.

Dieser Text diente dem Da Ponte als Vorlage, er behielt zum großen Teil die Reihenfolge der Szenen, acht der zehn Figuren Bertatis, stellenweise den Text. Aus Bertatis einem Akt machte Da Ponte zwei Akte, schuf das Finale des ersten Aktes, änderte das Finale des zweiten Aktes, fügte neue Szenen hinzu. Da Ponte nannte drei Figuren neu, Leporello, Masetto, Zerlina. Er machte dank seiner Kunst der Charakterisierung und seiner Psychologie, dank dem Witz und Feuer seiner Sprache aus ordinären Typen großartige Figuren, aus dem vulgären Verführer den überlegenen Kavalier des 18. Jahrhunderts, aus Leporello (bei Bertati einem Tölpel namens Pasquariello) die geistreiche Karikatur seines Herrn. Lamartine behauptet, Da Ponte sei ein Urbild seines Don Giovanni. Mit knappen Zügen und Worten macht Da Ponte aus Masetto und Zerlina, Donn'Anna und Donn'Elvira authentische Figuren der Tragikomödie der Liebe, und ihrer Helden und Opfer. Er leiht ihnen die Sprache der Poesie, zumindest der opernhaften Poesie. Er leiht ihnen Flügel für die Musik Mozarts. Anläßlich eines mittelmäßigen Librettos schuf Da Ponte eines der Meisterwerke der Opernliteratur.

In New York erzählte der alte Da Ponte seinem Arzt Dr. Francis, Mozart habe eine Tragödie machen wollen, und Da Ponte habe ihn erst zur shakespearischen Mischung aus Burleske und Pathos, zur Tragikomödie verführt.

Ehe er die Arbeit begann, war Da Ponte zu Josef II.

gegangen. Er wolle drei Operntexte schreiben, zugleich für Salieri, Mozzart und Martini (wie Da Ponte zeitlebens Mozart und Martin y Soler schrieb). „Sie werden es nicht fertig bringen", sagte der Kaiser.

„Vielleicht gelingt es mir nicht, aber ich werde es versuchen. Nachts werde ich für Mozart schreiben, morgens für Martin und abends für Salieri. Bei der Arbeit am Don Giovanni werde ich an Dantes Hölle denken, beim „Baum der Diana" an Petrarca, bei „Tarare" an Tasso."

„Kaum zuhause angelangt, begann ich mit der Arbeit. Ich setzte mich an meinen Schreibtisch und verließ ihn volle zwölf Stunden nicht, eine Flasche Tokaier zur Rechten, in der Mitte mein Schreibgerät und zur Linken eine Dose mit Tabak aus Sevilla. Ein sehr schönes sechzehnjähriges Mädchen, daß ich nur wie eine Tochter lieben wollte, aber . . . wohnte mit seiner Mutter in meinem Hause. Es führte mir den Haushalt und kam sogleich in mein Zimmer, wenn ich die Glocke läutete. Dies tat ich oft . . . Ich arbeitete auf diese Weise ganze zwei Monate lang jeden Tag zwölf Stunden mit nur kurzen Unterbrechungen . . . Kurz dieses Mädchen . . ."

Don Giovanni kam am 29. Oktober 1787 in Prag zur Uraufführung. Mozart dirigierte. Da Ponte mußte auf Befehl Josefs II. vor der Premiere von Prag nach Wien zurückfahren, um für Salieri „Axur, Re d'Ormus" (nach „Tarare") zu vollenden. Als Mozart nach Prag gekommen war, fehlten mindestens vier Nummern der Partitur, die Ouvertüre schrieb Mozart in der Nacht vor der Generalprobe. Auch das Libretto war angeblich nicht vollendet, als Da Ponte in Prag „acht Tage lang die Schauspieler trainierte". Auf Schloß Dux fand man unter Casanovas nachgelassenen Handschriften auch eine andere Fassung von Leporellos Text nach dem Sextett im zweiten Akt, mit vielen Korrekturen. Casanova war damals in Prag, um den Druck seines Romans „Icosameron" zu fördern. Paul Nettl, Edward J. Kent, Marcia Davenport glauben, Casanova habe an Da Pontes Don Giovanni mitgearbeitet. Es war ein großer Erfolg in Prag, in Wien gefiel der Don Giovanni nicht.

Etwa zehn Jahre lang blieb Da Ponte der Wiener Hoftheaterdichter. Es war tollkühn, um diesen Posten sich zu bewerben, es war eine Kunst, ihn zehn Jahre gegen so viele italienische Poeten, gegen tausend Intrigen und hundert Feinde, gegen Polizisten und Polemisten zu halten, und es war ein Verdienst. Da Ponte hatte die Verwegenheit der klassischen Abenteurer des 18. Jahrhunderts, ohne ein Abenteurer zu sein, er besaß überlegene Intelligenz und Talente, sprühende Laune und Grazie, eine wahre Theaternatur und das leichteste, anmutigste Bühnentalent, die Kunst der Anpassung und der Applikation. Und er hatte Glück: Er begegnete einem Genie, und Mozart schuf mit ihm Meisterwerke. Diese vier Jahre, da Mozart mit Da Ponte arbeitete, waren ein Glücksfall in der Operngeschichte.

Dieser große Musiker und dieser leichtfertige Poet waren unvergleichlich. Aber beide waren geborene Improvisatoren. Beide schrieben so hurtig, als liefe die Inspiration mit ihnen davon. Beide waren begnadete Lehrer. Für beide umfaßte die Liebe den Sinnengenuß und die übersinnliche Ekstase. Beide kamen im Flug von der Zote zum Erhabenen. Beide waren treffsichere Psychologen. Beide hatten tradionellen Kunstgeschmack und waren kühne

171

Neuerer. Beide litten unter der unsicheren Situation und der zweideutigen Stellung der Künstler in jener Epoche zwischen Absolutismus und Revolution. Beide waren schon zu Lebzeiten halb vergessen und waren nie so berühmt wie heute. Beide wären in unserem Jahrhundert durch ihre Tantiemen Millionäre geworden. Beide hatten gelegentlich denselben intimen Feind, diesen Johann Thorwart, der vom Lakai zum Rechnungsrevisor am K.K. Nationaltheater aufgestiegen war. Beider Gräber sind spurlos verschwunden. Selten haben ein Genie und ein Talent so glücklich zusammengearbeitet.

Schon 1789 schrieb Cramers „Magazin der Musik" in Kopenhagen: „Die Arbeiten dieses Componisten (nämlich Leopold Anton Kozeluch) erhalten sich und finden (in Wien) allenthalben Eingang, dahingegen Mozarts Werke durchgehends nicht so ganz gefallen." Mozart starb in Wien mit 35 Jahren, am 5. Dezember 1791, und erhielt ein billiges Grab, wo 15 bis 20 der Allerärmsten zusammen verpackt wurden; die paar Freunde, wie Van Swieten, Salieri, Süßmayr verließen wegen eines Schneetreibens den Sarg noch vor dem Friedhof, Constanze lag krank im Bett.

Im November 1792 schrieb die „Musikalische Monatsschrift" in Berlin: „Noch hab' ich ihn . . . (Mozart) von keinem gründlichen Kenner der Kunst für einen correkten viel weniger vollendeten Künstler halten sehn, noch weniger wird ihn der geschmackvolle Kritiker für einen in Beziehung auf Poesie richtigen und feinen Componisten halten." Welch ein Glück, daß Da Ponte auf dem Gipfel seines Ruhmes und seiner Macht nicht solch ein „geschmackvoller Kritiker" Mozarts war!

Als Josef II. starb, hielt sich Da Ponte für unentbehrlich. Er schrieb in Sachen seiner Geliebten, La Ferrarese, einen stolzen Brief an Kaiser Leopold II., was zum Sturz und zur Verbannung Da Pontes führte. Da Ponte war in Wien bekannt dafür, daß er mit Theaterdamen ins Bett ging. Sein junger Freund Kelly parodierte ihn einmal auf der Bühne. Michael Kelly, ein irischer Sänger, mit achtzehn Jahren für Josefs II. italienische Oper engagiert, lernte Mozart bei einem Souper im Haus von Kozeluch kennen, war bei Mozart, als Paisiello zum ersten Mal Mozart in Mozarts Wohnung begegnete, hörte mit Paisiello und Casti ein Streichquartett, gespielt von Mozart, Haydn, Dittersdorf und Vanhall.

Am 16. Februar 1786 wurden in Schönbrunn vor Kaiser Josef II. und der Wiener Gesellschaft ein kurzes witziges divertimento teatrale von Casti und Salieri, Prima la Musica e po le Parole (erst die Musik und dann die Worte) und Mozarts einaktige Oper „Der Schauspieldirektor" mit dem Text von Stephanie aufgeführt.

Casti hatte in seinem Libretto in der Figur eines verliebten Theaterdichters den Da Ponte karikiert. Der 22-jährige Kelly, berühmt für seine mimischen Parodien alter Männer, wie des Librettisammlers Varesi, nutzte seine ganze mimische Kunst, um Da Ponte lebenstreu zu konterfeien. In seinen Memoiren (1826, London, von einem „Neger" verfaßt), erzählt Kelly: „Mein Freund, der Dichter Da Ponte, hatte eine ganz eigenartig-unnatürliche Weise zu gehn und sich immer in eine (wie er wähnte) graziöse Stellung dadurch zu postieren, daß er seinen Stock hinter seinem Rücken aufstemmte, und sich auf ihn stützte; auch war ihm eine nicht wenig seltsame, eigent-

173

lich geckenhafte Art zueigen, sich zu kleiden; denn der Abate tat viel auf sich zugute und war ein vollendeter Stutzer. Er sprach mit einem ausgeprägten Lispeln im derben venezianischen Dialekt. Bei der Premiere saß er in der Loge, ostentativer als absolut nötig. Wie gewöhnlich bei Premieren war der Kaiser da, und zahlreiches Publikum. Wie ich als der verliebte Poet auftrat, genau wie der Abate in seiner Loge gekleidet, seinen Gang nachahmte, auf den Stock mich stützte, wie er gewöhnlich tat, und seine Gesten und sein Lispeln nachahmte, da gab es ein stürmisches Gelächter und einen Riesenapplaus; und nachdem das Publikum sich rundum im Theater umgeblickt hatte, richteten sich aller Augen auf die Loge, wo Da Ponte saß. Der Kaiser genoß den Witz und lachte herzlich, und applaudierte mehrfach; der Abate war keineswegs gekränkt, sondern nahm meine Parodie gutgelaunt auf, und wir blieben auch später stets in besten Beziehungen."

Da Ponte lachte, sagte aber, Castis Libretto sei ohne Witz und Stil, und der Poet gliche vollkommen dem Casti, nicht ihm, und zwei der Geliebten Castis sangen in Castis Stück, und keine Geliebte von Da Ponte. Zu Hause schrieb Da Ponte ein giftiges Sonett auf Casti, und zeigte es dem Kaiser Josef II., der lachte und ihm ein Geldgeschenk machte.

Nie wollte er ein Verhältnis mit Schauspielerinnen eingehn, schrieb Da Ponte, er habe sich sieben Jahre daran gehalten, um sich blind in die Sängerin Adria del Bene zu verlieben, die La Ferrarese hieß, weil sie aus Ferrara stammte. Da Ponte wurde mit Einwilligung des Gatten, Signor Gabrielli, ihr offizieller Liebhaber. Sie debutierte in Wien als die Göttin der Keuschheit, in Martins und Da Pontes Oper „Der Baum der Diana". Er schrieb für sie die Rollen in zwei Libretti für Salieri, sie sang Susanna in Figaros Hochzeit, Mozart schrieb zwei neue Arien für sie. Sie sang die Fiordiligi in Cosi fan tutte, ihre Schwester Louise Villeneuve sang die Rolle von Dorabella, der Schwester Fiordiligis. Die Ferrarese sang auch die Hauptrolle in Da Pontes Pasticcio, „Die musikalische Biene". „Sie hatte leider einen heftigen Charakter, und darum mehr Feinde als Freunde", schreibt Da Ponte. Sie war sechs Jahre jünger als er. Als ihr Vertrag abgelaufen war, wollte er die Verlängerung erzwingen. Er nahm ihre Partei, als sie mit zwei Sängerinnen stritt; die Deutsche Laura Caterina Cavalieri war eine Freundin Salieris. Also zerstritt sich Da Ponte wegen seiner Geliebten mit seinem alten Freund und Gönner Salieri wegen ihrer beiden Geliebten, er schrieb einen stolzen Brief an Kaiser Leopold II.: „Leopold, Du bist König. Ich bitte um Gerechtigkeit, nicht Gnade . . . der aufrichtigste Mann Deines Landes, auf den es stolz sein kann . . . Mein Schicksal hängt nicht von Dir ab . . ."

Da Ponte wurde aus Wien verbannt. Er ging nach Triest, wo er erst ausgewiesen wurde, dann eine anderthalbstündige Audienz von Kaiser Leopold erhielt. Der Polizeipräsident von Triest, Baron Pittoni, schrieb seinem Freund Casanova: „Sehr wahrscheinlich, daß er zum Kaiser von Intrigen sprach, wie es sein Stil ist. Und daß er Schurken demaskierte . . ."

Wie in Venedig, wie einst in Padua, wie später in London mußte Da Ponte seine Kleider verkaufen, um Brot für sich zu kaufen, und für seine zwei Halbbrüder, die bei ihm lebten, und für eine Freundin, mit der er in Wien die Wohnung geteilt hatte und die ihm nach Triest gefolgt war. Die Ferrarese nahm in Venedig, mit Zustimmung ihres Gatten, einen neuen Liebhaber, und sagte zu Zaguri, Da Ponte sei un pazzo ein Narr. Das Theater in Triest führte seine Tragödie Il Mezenzio auf (die er vielleicht mit seinem Bruder Luigi geschrieben hatte) und das Pasticcio. Als Kaiser Leopold II. 1792 starb, eilte Da Ponte nach Wien, aber Bertati wurde sein Nachfolger als Theaterdichter, und Casti der Nachfolger Metastasios, als poeta laureatus. Die Ferrarese lehnte es auf dem Weg nach Warschau ab, Da Ponte wiederzusehn. Er gelobte, sich nie wieder zu verlieben, fuhr nach Triest, verliebte sich in „eine junge Engländerin, die Tochter eines reichen Kaufmanns, der kürzlich in Triest angekommen war."

„Mein ganzes Vermögen: Fünf Zechinen. Aber ich liebte Nancy, und sie liebte mich." Er heiratet Ann Grahl, die man Nancy nennt, oder macht sich mit ihr ohne Trauschein in einem Wägelchen mit einem Pferd und einem fünfzehnjährigen Kutscher auf den Weg nach Paris, mit einem Empfehlungsbrief von Josef II. an Marie Antoinette, die Da Pontes Oper Una Cosa Rara bewundert. Es war im Sommer 1792. Da Ponte heiratet mit 42 Jahren ein Mädchen, zwanzig Jahre jünger als er, wie einst sein Vater mit 42 eine Sechzehnjährige zur Frau nahm. Der Vater gab für ein junges Ding seine Religion preis, der Sohn gibt Italien auf. Der Abate Da Ponte, aus Venedig und Wien verbannt, als Librettist in Europa berühmt, Mitglied von Dichterakademien, in Rom und Venedig, hatte in Wien eine notorische Liebschaft mit einer verheirateten Sängerin und in Triest mit einem Wiener Mädchen zusammengelebt, zur selben Zeit, da er sich in Nancy verliebt hatte. Nancy, ein unschuldiges Mädchen, gebildet, von besten Manieren, sprach fließend englisch, französisch, italienisch und holländisch. Ihr Vater war ein Jude aus Dresden, der viele Jahre in England verbracht hatte und kurz nach Da Pontes Abreise aus Triest Konkurs machte.

Unterwegs hörten Da Ponte und Nancy die drei Opern Mozarts, deren Texte Da Ponte geschrieben hatte. Mit Recht klagte Da Ponte für den Rest seines Lebens, daß man seine Verdienste um diese drei Opern Mozarts nicht anerkenne. In seinem knappen Vorwort zur Ausgabe von Le Nozze di Figaro sagt Da Ponte bescheiden, er habe nicht eine Übersetzung der exzellenten Komödie von Beaumarchais gegeben, sondern eine Imitation, einen Extrakt. Immerhin sagt er, daß er und der „Kapellmeister" eine „quasi neue Art des Schauspiels" dem Publikum anbieten. Auch habe er von sechzehn Figuren des Beaumarchais nur 11 behalten. Alfred Einstein heißt diese „Nachahmung" eine Transfigurazion, der Mozartbiograph Saint-Foix spricht von einem „Funken Genie".

Da Ponte hat eine der besten Komödien der Weltliteratur für die Oper bearbeitet, und er hat nicht, wie man erwarten mußte, dieses Werk herabgezogen, sondern wie viele Kritiker behaupten, gehoben. Freilich mußte er aus Gründen der österreichischen Zensur viele der politischen Tendenzen und Bonmots von Beaumarchais unterschlagen. Aber er hat manche der Figuren, wie Cherubino, Susanna, die Gräfin verfeinert, und einige seiner berühmten Arien, wie Cherubinos Non so più cosa son (Akt I, Szene 5), und Voi che sapete Akt II Szene 3) und Figaros Arie vom farfallone sind lyrische Gedichte ersten Ranges.

Mit Recht heißt Alfred Einstein Cosi fan tutte das beste Libretto Da Pontes, das nicht eine tote Stelle habe. Es ist wie ein geometrisches Ballett. Da Ponte hat sich selber in seinem „alten Philosophen" Don Fernando porträtiert, seine Toleranz, seine Skepsis, seine Kenntnis der Liebe und der Frauen, sowie der Männer. Da Ponte hat als erster, sagt Paolo Lacaldano, die Poesie, Meer und Garten und Landschaft, ins Libretto getragen. Unterwegs nach Dresden machte Da Ponte im Schloß Waldstein bei Dux halt, um bei Casanova einige hundert Gulden einzutreiben, die ihm Casanova noch aus Wiener Tagen schuldete. Aber Casanova hatte kein Geld, und Da Ponte mahnte ihn nicht. Nach drei oder vier Tagen brachen Da Ponte und Nancy nach Dresden auf. Casanova begleitete sie bis Töplitz, etwa zehn Meilen von Dux entfernt. Da ihr Wagen zusammenbrach, verkaufte ihn Da Ponte, Casanova machte den „Makler, zahlte das Geld aus und behielt selbst nur zwei Zechinen." Er erklärte: „Diese zwei Zechinen brauche ich für die Rückreise. Da ich Ihnen weder dieses noch Ihr andres Geld zurückzahlen kann, gebe ich Ihnen drei Ratschläge, die für Sie von großem Wert sein werden. Wenn Sie Erfolg haben wollen, gehn Sie nicht nach Paris, sondern nach London, besuchen Sie aber dort nie das Café der Italiener, und geben Sie nie Ihre Unterschrift."

„In der Tat", schreibt Da Ponte, „ich wäre glücklich, wenn ich ihm gefolgt wäre!" Nancy war entzückt vom Verführer Casanova, „geblendet von der Lebhaftigkeit, Beredsamkeit, der unverwüstlich guten Laune . . . dieses außerordentlichen alten Mannes." In Dresden umarmte Da Ponte alte Freunde, Mazzolà und Vater Huber. Einige

Kilometer nach Speyer erfuhr er, daß am 10. August 1792 Marie Antoinette die Tuilerien mit dem Gefängnis du Temple vertauscht habe. Also fuhr er nach London. Noch aus Dresden hatte er an Casanova geschrieben: „Mein Gott bewegt all meine Kräfte, und ich bin nur eine Art Maschine, die all seinen Impulsen folgt. Auch blindlings werde ich daher versuchen, wie ein Mann zu handeln, der ins Wasser fällt und mit Händen und Füßen sich vor dem Ertrinken wehrt um ans Ufer zu gelangen."

In London versuchte er, Theaterdichter bei der Oper in Haymarket zu werden. Seine Wiener Freunde Michael Kelly und Stephen und Nancy Storace waren erfolgreich und empfingen ihn kalt. Nancy Storace, vielleicht eine Geliebte Mozarts, war eine berühmte Sängerin, Kelly Sänger im Drury Lane Theater und Bühnendirektor der italienischen Oper im Haymarket, er lebte mit der Sängerin Crouch, die er mit dem Prinzen von Wales teilte, und gab Empfänge, wo ganz London kam, Sheridan, der Prinz von Wales, die Storaces eingeschlossen. Stephen Storace schrieb englische Opern.

Da Ponte suchte mit der alten Tatkraft neue Pläne, Einführungen, Beziehungen, Gönner, er schrieb Oden und pumpte sogar den Grafen Waldstein an, Casanovas Schloßherrn. Als ihm Casanova riet, Sprachlehrer zu werden, schrieb Da Ponte, nur „Kammerdiener, Schuster, Banditen und Sbirren" seien Sprachlehrer in London. Er wolle nicht nur Poet, sondern auch Direktor der italienischen Oper in London werden. Gegen Da Pontes Ode auf die angekündigte Hinrichtung von Louis XVI. schrieb der Theaterdichter der Londoner italienischen Oper Badini eine Satire, die bei Italienern in London Furore und Da

Ponte verrufen machte. Da Ponte antwortete mit gereimten Satiren, „mit einem Pinsel, des Tizian würdig", wie er selber sagte. Casanova riet ihm, von Nancys Reizen zu leben. Nancy dankte für den guten Rat und schrieb: „Sie waren nie verheiratet, darum möchten Sie mir diesen niedlichen Ratschlag geben, den Ihr Italiener Santo Ambrogio nicht ermangelt hat, seiner Nation zu geben. Aber Sie wissen, daß die Engländer die Heiligen proskribiert haben, und darum wäre diese Moral nicht gut für mich." Da Ponte schrieb ihm: „Alles, nur keine Hörner!" und im Mai 1793: „Meine teure Nancy, meine offizielle Gattin, wird bald Mutter sein!" Er fuhr nach Brüssel, Amsterdam, Haag, um eine italienische Oper zu begründen, und bewies wieder sein eminentes Talent, einflußreiche Menschen zu bewegen Geld für eine italienische Oper auszugeben, aber die Niederlage des Prinzen von Oranien vereitelte alles. Auf verzweifelte Briefe wegen Geld, antwortete Casanova: „Wenn Cicero Freunden schrieb, diskutierte er nie Geschäfte." Da Ponte schrieb ihm: „Warum habe ich so viele Feinde in Holland? Ich habe nie etwas getan, dessen ich mich zu schämen bräuchte, außer daß mein Kopf tonsuriert war . . ." Dieses „große Geheimnis" solle Casanova aber hüten.

Schließlich rief ihn William Taylor, Nachfolger von Sheridan am Haymarket Theater, als Theaterdichter der italienischen Oper nach London zurück für 200 Guineas jährlich, und sandte durch Nancys Schwester den in Holland gestrandeten Da Pontes das Reisegeld, 20 Guineas. Da Ponte brach angesichts des Geldes in Tränen aus, kniete nieder und zitierte fromme Verse aus seinem Libretto „Axur". Genau ein Jahr nach seiner Ankunft in

London, stand er, wie ein Jahr nach seiner Ankunft in Wien, auf dem Gipfel seines Berufes. Er schrieb an Casanova: „25 Jahre lang war das verdammte Londoner Theater in den Händen von Räubern. Absolute Idioten verwalten es, und wenn sie nicht zahlen können, gehn sie bankrott, und wenn ihnen jemand die Leitung wegnimmt, brennen sie das Theater nieder."

Auf des Direktors Taylor Wunsch lud Da Ponte seinen Freund, den in St. Petersburg erfolgreichen Komponisten Martin y Soler nach London ein, Martin kam, zog in Da Pontes Wohnung, wurde der Liebhaber der Sängerin Morichelli, die seine Mutter hätte sein können, schwängerte die Magd Da Pontes, sagte zur Morichelli, er habe Da Pontes Schuld, wegen seiner eifersüchtigen Frau Nancy, auf sich genommen, zog nach Vorwürfen Da Pontes zur Morichelli und fuhr schließlich, kaum neun Monate nach seiner Ankunft, nach Rußland zurück.

In einem langen Brief an Casanova klagte Da Ponte, nun habe er seinen besten Freund verloren, wegen Intrigen der Weiber, der Eifersüchteleien von Musikern, der Ignoranz der Direktoren und wegen lokaler Vorurteile. Obendrein habe ihm das Geschwätz Martins neue Feinde gemacht. Und würde Casanova beim Grafen Waldstein ein gutes Wort für Da Ponte einlegen, für den Fall, daß . . . Auch bat er, Casanova möge Pate des zweiten Kindes Nancys sein, doch wurde es wieder eine Tochter.

Im Herbst 1798 lud ihn Direktor Taylor ein, nach Italien zu fahren, um eine Sängerin und einen Kastraten zu engagieren. Nach 20 Jahren sah Da Ponte seinen Vater, die Familie, Schulfreunde und alte Liebschaften wieder. Er sah Italien wieder, und in Treviso seinen alten Gönner

181

Bernardo Memmo, den Teresa begleitete, die Da Ponte
verführt hatte. Teresa war alt, häßlich, fett, vulgär, Witwe nach irgend jemandem und noch der Liebling Memmos,
und sie beherrschte ihn immer noch.

Da Ponte ließ Nancy im Haus des Vaters, und ging nach
Venedig. Die Piazza San Marco war leer, in elf Kaffeehäusern am Markusplatz saßen 22 Menschen, darunter
der langnasige Spitzel der Inquisition Gabriele Doria, der
ihn einst denunziert hatte. Nun gab ihm Doria die Adresse
von Angioletta Bellaudi - Da Ponte suchte sie auf, ging
mit ihr ins Bett, mit La Ferrarese in die Oper, dinierte
mit drei Sängerinnen, traf am Fischmarkt am anderen
Morgen Angela Tiepolos Bruder Girolamo, Angela war
tot, Girolamo ein Bettler, der ihm, falls er Fische kaufte,
sie heimtragen wollte. 24 Stunden später erhält Da Ponte
den Befehl der Polizei, Venedig zu räumen. Die Stadt, von
der Okkupation durch die österreichischen Soldaten unterdrückt, war ein Alptraum.

Er geht mit Nancy nach Bologna, trifft in Ferrara den
alten Revolutionär Pisani, der jakobinischer als je war,
und den Poeten Ugo Foscolo, der Da Pontes Verse lobt.
Da Ponte lobt Foscolos Verse. Da Ponte fährt ohne Nancy
nach Florenz, polemisiert gegen Smollets Reisebericht aus
Italien, hört in einem Salon die Vorlesung von Dramen
Montis und Alfieris, engagiert bei einem Agenten die
Sängerin Allegranti und den Kastraten Damiani und
fährt mit ihnen und Mann und Kind der Allegranti und
einem kleinen Sohn der Sängerin Banti nach London zurück. Er bringt fünfzig Pfund von tausend heim, aber
„die Reise war es wert". Doch Taylor entläßt ihn.

Am Morgen des 10. März 1800 lag Da Ponte im Bett,

Nancy gratulierte ihm zum 51. Geburstag, da kam ein Gerichtsvollzieher mit einem verfallenen Wechsel, verhaftete Da Ponte und sperrte ihn ein, bis man für ihn bürgte. Seitdem verbrachte Da Ponte seine Tage zwischen Gerichtsvollziehern, Gefängniswärtern und Advokaten.

Im Sommer 1804 folgte Nancy der Einladung ihrer Eltern und fuhr mit vier Kindern und dem ersparten Geld aus ihrem Theaterrestaurant auf dem Segelschiff Pigou nach Philadelphia. Da Ponte diskutierte mit seinem besten Londoner Freund Thomas Mathias, einem Politiker, satirischen Autor, Bibliothekar im Buckingham Palace, Übersetzer und Herausgeber italienischer Klassiker, ob auch Da Ponte nach Amerika fahren sollte. Mathias fragte erstaunt: „Aber Lorenzo, was werden Sie in Amerika tun?"

Er segelte auf der „Columbia" am 7. April nach Philadelphia, wo er nach 57 Tagen am 14. Juni 1805 ankam. Er hat Amerika nie mehr verlassen. 33 Jahre später, um neun Uhr abends am 17. August 1838, starb Da Ponte im Haus seiner Schwiegertochter, der Nichte des Präsidenten Monroe, Springstreet 91. Zwei Tage vor seinem Tod übersetzte er noch Teile von „Hadad" von Gillhouse ins Italienische und schrieb Verse für seinen Arzt Dr. Francis. Sein Begräbnis mußte auf den 20. August verschoben werden, so zahlreich drängte man sich zum letzten Geleit. Als der Trauerzug zum Friedhof kam, entdeckte man, daß man vergessen hatte, für ein Grab zu sorgen. Man mußte warten, bis in Eile ein Grab ausgehoben wurde. Es wurde nie markiert und verschwand wie Mozarts Grab.

Da Pontes Memoiren teilten das Schicksal so vieler im Exil publizierter Bücher. Schon ihre Entstehung war so abenteuerlich wie sein Leben. 1792 schrieb Casanova an Zaguri, Da Ponte habe ihn mit seiner Geliebten Nancy auf Schloß Waldstein besucht, und ihm gestanden, er schreibe seine Memoiren. Damals war Da Ponte 43 Jahre alt. 1807 erschien in New York italienisch die „Kurzgefaßte Geschichte des Lebens von Lorenzo Da Ponte, von ihm selbst verfaßt, mit der ersten literarischen Unterhaltung in seinem Haus am 10. März 1807 in New York, einige italienische Arbeiten in Vers und Prosa, von Schülern Da Pontes ins Englische übersetzt."

Englisch publizierte Da Ponte einen „Auszug aus dem Leben von Lorenzo Da Ponte, mit der Geschichte mehrerer Dramen, verfaßt von ihm, und unter andern, Figaro, Don Giovanni und Die Schule der Liebe (Cosi fan tutte), in Musik gesetzt von Mozart. New York, publiziert vom Autor, in Nr. 54 Chapel Street; gedruckt von John Gray und Co. New York 1818." Auf Marc, Antonio Casatis und Ferraris Pamphlete gegen ihn, voller Enthüllungen und Verleumdungen, wo man ihn der Sodomie und des Totschlags bezichtigte, antwortete diesmal der Pamphletist Da Ponte mit dem Druck seiner Memoiren, 1823. Da war er 74 Jahre alt und keineswegs fertig mit seinem Leben oder der Erzählung seines Lebens. Er schreibt: „Da ich diese Memoiren schreibe, nahe meinem sechzigsten Jahr, bin ich verpflichtet, zuzugeben, daß ich nicht immer glücklich war. Aber ich kann auch nicht sagen, daß ich immer unglücklich gewesen wäre." 1826 und 1827, mit 77 und 78 Jahren schrieb er einen vierten Teil. 1829-1830 erschien die zweite erweiterte Auflage, mit dem heute gültigen Text. Da war Da Ponte erst 81, und es waren schon fünf Teile.

Er schreibt: „In jenem Alter, mit sechzig, begann ich, die Geschichte meines Lebens zu schreiben. Ich habe jetzt die achtzig erreicht und ich möchte mit Metastasio sagen: „Meine Geschichte ist noch nicht vollendet." Mit 84 schrieb er schon Bruchstücke eines sechsten Teils, die „Geschichte der italienischen Operntruppe, geführt von Giacomo Montrésor in Amerika im August des Jahres 1832". Die autobiographische „Unglaubliche aber wahre Geschichte" erschien 1833. Immer noch nicht fertig, kündete er einen siebenten Teil an, hätte aber, wie Fausto Nicolini (mit G. Gambarin Herausgeber der Memoiren Da Pontes in Bari bei Laterza 1918) geschrieben hat, um seine Memoiren zu vollenden, seinen Tod und sein Begräbnis überleben müssen.

In Italien weckten die Memoiren ein gewisses Interesse, Da Ponte bemühte sich um einen Neudruck in Florenz, Mailand oder Triest, ohne die allzu störenden Druckfehler der englischen Drucker in New York. Da verbot die österreichische Zensur die Memoiren wegen der Angriffe aufs Haus Habsburg, wie im Brief Da Pontes an Leopold II. (den übrigens Casanova ins Französische übersetzt hatte, wie man in seinen nachgelassenen Papieren in Dux entdeckt hat). Niemand wagte in Italien die zweite New Yorker Auflage zu kaufen, niemand wagte einen Nachdruck, die Memoiren wurden vergessen, bis Alphonse de Lamartine in einem begeisterten Brief seinem Vetter M. C. de La Chavanne empfahl, die Memoiren Da Pontes zu übersetzen. 1860 erschien diese verstümmelte und gekürzte französische Ausgabe mit dem Brief von Lamartine. Deutsch erschienen die Memoiren 1847 in Stuttgart,

1861 in Gotha, 1924 in Dresden, mit den Anmerkungen und dem Vorwort vom Da Ponte-Forscher Gustav Gugitz.

In Italien erschien ein Auszug von ca. 80 Seiten, mit Gedichten und Briefen Da Pontes, in Florenz 1871. Erst im ersten Weltkrieg erschienen zwei ungekürzte Ausgaben, eine in Milano, die andre 1918 in Bari, im Verlag von Benedetto Croce, Laterza. Englische und amerikanische Ausgaben erschienen erst 1929 in London und Philadelphia, diese kommentiert von Arthur Livingston, einem Da Ponte-Forscher.

Da Ponte hat in seinen schier neunzig Jahren mehr gelebt und vollbracht, als ein Dutzend Menschen voll Talent und Aktivität. Geboren, um im Getto und in Finsternis zu leben, ein Außenseiter der Gesellschaft, Mitglied einer unterdrückten Minorität, gilt er als ein Abenteurer mit Talent, aber sein wahres Abenteuer ist der Triumph eines Menschen, der siegreich die Schranken einer feindlichen Gesellschaft niedergerissen hat und das Unrecht, das man ihm antat, mit Wohltaten bezahlt hat. Übrigens war er glücklicher, als er es rückblickend im Alter beschrieben hat. Freilich wollte er noch 1835 Amerika verlassen und nach Italien heimkehren.

Da Pontes Memoiren sind ein Alterswerk, wie Casanovas Memoiren. Wenn man so alt wird wie er, sieht man schon abgeschlossene Epochen und runde Lebensläufe. Man wird zum Zeugen von Revolutionen und ihrer finstren Reaktion. Man durchschaut das Satyrspiel moralischer, intellektueller, politischer, ökonomischer Moden und Prozesse. Da Ponte schrieb seine Memoiren mit dem Ethos eines Pamphletisten und dem Pathos eines Menschenfreundes. Der Autor Da Ponte hatte ein gutes Gewissen. Mit rührender Naivität beschrieb er seine Fehler als Tugenden, sein Unrecht als Recht. Seine Vorzüge vergaß er zu demonstrieren, so natürlich kamen sie ihm vor. Sein Auftritt als Moralist, im Kostüm des Komödienautors, machte seine Biographen zu Sittenrichtern. Der letzte Satz seiner Memoiren in der 1. Auflage lautet: „Alles sagte ich nicht, aber was ich sagte, ist alles wahr." Am Ende der 2. Auflage heißt es: „Jetzt sagte ich alles, und was ich sagte, ist alles wahr."

Wie der Ire James Joyce wollte er der Welt beweisen, daß er ein Märtyrer und ein Genie war. Kaiser und Kärrner taten ihm unrecht, und alle Polemisten des Jahrhunderts, deren Spottlust er reizte. Noch im Alter rechtfertigte er sich für Jugendsünden, schrieb aber von sich: „Ein alter Mann, dessen Lippen niemals eine Unwahrheit ausgesprochen haben."

Zaguri schrieb an Casanova über den jungen Da Ponte in Venedig: „Ein seltsamer Mensch; bekannt dafür, eine mittelmäßige Kanaille zu sein, aber mit großen Talenten, um ein Poet zu sein, und mit genug physischen Reizen, um geliebt zu werden ... In jedem Sinn ist er ein Narr (un pazzo in ogni senso)."

Professor H. T. Tuckermann schrieb über den alten Da Ponte in New York: „Im Alter von neunzig Jahren war Lorenzo Da Ponte immer noch ein schöner Mann; er hatte den Kopf eines Römers. Sein Antlitz leuchtete von Intelligenz und Lebhaftigkeit; sein Haar war üppig und fiel dicht auf seinen Nacken nieder, sein Benehmen verband in selten hohem Grad Würde und Zuvorkommenheit. In jeder Epoche und jedem Beruf reich an Hilfsquellen, höflich, polemisch, weniger ein praktischer Mensch als ein Dichter, recht gesellig, leidenschaftlich im Kampf mit dem Glück und auf der Suche nach Freunden, stolz auf die Rechte seines Landes, reich an Anekdoten, Lebhaftigkeit und Charme, an großer Erfahrung, starken Vorurteilen und einem edlen Enthusiasmus."

HEINE LEBT!

Heinrich Heine,
deutscher Dichter und Jude

Wenn im Jahre 1972 die Universität in Düsseldorf sich schämen sollte, „Heinrich-Heine-Universität" zu heißen, so mögen die Gründe, die man vorbringt, beinahe räsonabel klingen, so mögen die Motive beinahe unschuldig aussehn, es hilft nichts. Man wird mit Recht in aller Welt die Universität in Düsseldorf, die Stadt Düsseldorf, das Land Nordrhein-Westfalen und die Bundesrepublik Deutschland anklagen und verurteilen, daß sie einen großen deutschen Dichter verwerfen, weil er der Freund des Volkes war, weil er für die Rechte des Volkes eingetreten ist, weil er alle, die vom Unrecht leben, angeklagt und ausgelacht hat, weil er öffentlich ausgesprochen hat, wer von der Unterdrückung der Völker profitiert, wer die Freiheit um keinen Preis aufkommen lassen will, wer ein Feind der sozialen und politischen und sexuellen Aufklärung ist, wer die Wissenschaften und die Literatur, Kunst und Religion und Volkserziehung zu Instrumenten willkürlicher Macht von wenigen, von kriminellen Tyrannen, von asozialen ökonomischen Herren machen will.

Vielleicht ist mancher von allen, die gegen den Namen „Heinrich-Heine-Universität" stimmen, sich dessen gar

191

nicht bewußt, vielleicht werden sie es gar absurd heißen, dennoch wäre eine solche Ablehnung die Fortsetzung der Kulturpolitik einer hundertjährigen finstern Reaktion und Volksfeindschaft, ja die Fortsetzung der mörderischen Kulturpolitik des Dritten Reiches, des schier klassischen deutschen Antisemitismus, zu dessen Opfern sechs Millionen Juden, darunter eine Million Kinder gehören, die geschlachtet und vergast wurden, und zwanzig Millionen Kriegsopfer, und das geteilte und um ein Drittel verkleinerte Deutschland, und mit vielen andern besten Deutschen der Dichter Heinrich Heine.

Es gibt im Leben der Einzelnen und im Leben der Völker schließlich eine Situation, wo angebliche oder scheinbar vernünftige Gründe zum reinen Hohn werden. Wenn Sie einen Menschen umgebracht haben, können Sie freilich versuchen, sich damit zu entschuldigen, er habe immer geschmacklose Krawatten getragen, und wenn Sie obendrein seine zehn Kinder umgebracht haben, und Sie entdecken, daß sein elftes Kind noch lebt, und Sie weigern sich, diesem elften Kind endlich Gerechtigkeit zu erweisen, so können Sie lange vorbringen, das Kind habe eine Haarfarbe, die Ihnen nicht zusagt, oder es lache immer so satirisch, oder Gerechtigkeit sei nur eine Art Historismus, und wenn dieselben Professoren, die alle einen Namen tragen, und nicht darauf verzichten, weil es nicht mehr modern sei, Menschen und Institutionen zu benennen, und die historisierend sich Professoren heißen, und in einer so altehrwürdigen Institution wie einer Universität lehren und davon leben, plötzlich bei dem Juden Heinrich Heine entdecken, es dürfe eine Johann-Wolfgang-Goethe-Universität geben, aber eine Heinrich-Heine-Universität entspreche nicht dem modernen Volksempfinden und sei nicht mehr zeitgemäß, so wird man in der Bundesrepublik und in aller Welt mit Recht sagen, diese Feinde Heines sind nicht mehr zeitgemäß, denn sie setzen, vielleicht ohne es zu wissen und zu wollen, die blutige Tradition der Volksfeinde, der Antisemiten, ja jener Mörder fort, die immer noch nicht bereuen.

Heinrich Heine wurde mit seinem „Buch der Lieder" zum Dichter einer unglücklichen Liebe. Dieses „Buch der Lieder" von Heine ist das meistübersetzte und in aller Welt (außer in der Bundesrepublik Deutschland) berühmteste deutsche Gedichtbuch.

Heine hat seine unglückliche Liebe überwunden, indem er seine Sentimentalität, sein Unglück, sein sentimentales Publikum ausgelacht hat.

Aber seine wahre unglückliche Liebe war die Liebe zu Deutschland. Sein Leben lang hat er für die Sache von Deutschland, für die Freiheit und die Rechte des deutschen Volkes geschrieben. Hat es ihm Deutschland gedankt? Etwa hundert Jahre lang — seit dem „Buch der Lieder" und dem zweiten Band seiner „Reisebilder", von 1827 bis zur Bücherverbrennung im Mai 1933 durch deutsche Studenten und Professoren unter Leitung des akademisch gebildeten Mörders Joseph Goebbels — war Heine einer der meistgelesenen „Klassiker", neben Schiller vielleicht der meistzitierte, neben Goethe der einflußreichste.

Aber kein anderer Dichter wurde so beharrlich von seinem eigenen Volke verfolgt, verleumdet und ausgestoßen.

Seine Feinde haßten ihn auch darum, weil Heine der witzigste Deutsche war, ja für Georg Brandes, den dänischen Entdecker von Nietzsche, der witzigste Autor der

Weltliteratur seit Aristophanes. Leider nehmen allzuviele
Deutsche den Witz übel und grollen ihren Satirikern, statt
mit ihnen zu lachen. Viele haßten ihn, weil Heine ein
Jude unter unzulänglichen Christen und falschen Heiden
war. Völker neigen dazu, ihre verfolgten Minoritäten auch
zu verleumden. Viele Deutsche sangen Heines Lieder.
Ende des 19. Jahrhunderts schätzte Georg Brandes Kom-
positionen von Heines Liedern auf dreitausend, und Goethes nur auf siebzehnhundert. Carl Löwe und Albert
Methfessel, Franz Schubert und Robert Schumann, Richard Wagner und Richard Strauss, Felix Mendelssohn-
Bartholdi, Hugo Wolf, Johannes Brahms vertonten Lieder von Heinrich Heine. Die Deutschen sangen ihn, und
bedauerten seinen Witz. Lachten sie über seine Witze, so
mißdeuteten sie seine Poesie, seine originellen Ideen,
seine tiefen Schmerzen.

Heine benutzte die Materialien und Formen der ältern
zeitgenössischen Autoren, ihr Vokabular, ihre Bilder, ihre
Ideen parodistisch und zum Hohn und machte aus dem
Hohn die neue Poesie. Er war Deutschlands größter Paro-
dist. Er nahm die Sprache des Alltags, der Straße, der
neusten Zeit und entdeckte die Poesie des gegenwärtigen
Tages und der Revolution. Noch zu seinem 100. Todestag,
1956, noch heute verteidigten den heitersten deutschen
Autor seine ängstlichen Freunde wie Max Brod und Ger-
hard Storz verzweifelt gegen den gefährlichen Vorwurf,
Heine sei witzig gewesen.

Die Erbfeinde des Witzes waren seit je gewisse deutsche Professoren, die zum öffentlichen Beweis ihrer Ignoranz und Kunstfeindlichkeit Literarhistoriker wurden.
Wolfgang Menzel erkannte in seiner „Literaturgeschichte"

in Heine „die tiefste Korruption der deutschen Poesie",
einen „Dämon des Zerfalls und der Zerstörung". Karl
Goedecke schrieb in der „Geschichte der deutschen Dichtung": „Sieht man gegenwärtig die Reihe seiner (Heines)
Schriften ruhig und unbefangen wieder durch, so er-
schrickt man fast vor der geistigen Öde und Leerheit derselben." Für Professor Walter Muschg ist Heine ein „Ex-
ponent verfaulten Literatentums". Professor Golo Mann
schreibt in seiner „Deutschen Geschichte des 19. Jahrhunderts: „Man sagt, es hat reinere deutsche Dichter gegeben.
Sicher. Seine Zeitgenossen, die Rückert, Eichendorff, Uh-
land waren unschuldiger als Heine, volksnäher, glücklicher . . ." Wolfgang Menzel war ein korrupter Denun-
ziant. Der leere Goedecke war ein ruhiger und unbefan-
gener Esel. Muschg lehrte zu Basel deutsche Literatur. Golo
Mann hielt am 16. Oktober 1972 die Festrede auf dem
Internationalen Heine-Kongreß in Düsseldorf.

Heine schrieb in der „Stadt Lucca": „Vielleicht habt ihr
doch recht und ich bin nur ein Don Quichotte . . . "

Warum führte Heine, ein lebenslustiger, lachender Poet
und Weltfreund, das heroische Leben eines Schriftstellers
im Exil, der ein Volk befreien will, das seine Tyrannen
mehr liebt als seine Befreier? Heine schrieb: „Schlage die
Trommel und fürchte dich nicht!"

Wenn eine der Quellen des Witzes das Unverhältnis-
mäßige ist, die Mischung von Kontrasten und Konflikten, die nicht aufgehn, hatte Heine es leicht, witzig zu
sein; denn er und sein Leben und seine Epoche sind aus
lauter Kontrasten und Konflikten gebildet. Er war ein
Poet und ein politischer Mensch, der Dichter von Liedern,
die eitel Musik waren, und der treffsicherste Satiriker. Er

war ein Romantiker und ein Revolutionär. Hundert Jahre lang Deutschlands beliebtester Dichter war er auch der umstrittenste und bestgehaßte. Der subjektivste Poet war ganz gegenständlich, der trefflichste ganz konkret. Er war Jud und Christ, Sensualist und Spiritualist, unter Deutschen schwärmte er für die französische Revolution, unter Franzosen für deutsche Philosophie und Poesie. In seinen „Geständnissen" heißt er sich den „letzten romantischen Dichter Deutschlands". Er schrieb: „Mit mir ist die alte lyrische Schule der Deutschen geschlossen, während die neue Schule, die moderne deutsche Lyrik von mir eröffnet ward." Heine, einer der Väter des neuen Realismus, hieß sich schon einen „Supernaturalisten", er war es, der Vorkämpfer gegen Klassizismus und gegen Romantik. Er schrieb: „Meine alte Prophezeiung von dem Ende der Kunstperiode, die bei der Wiege Goethes anfing und bei seinem Sarge aufhören wird, scheint ihrer Erfüllung nahe zu sein. Die jetzige Kunst muß zugrunde gehen, weil ihr Prinzip noch im abgelebten alten Regime, in der heiligen römischen Reichsvergangenheit wurzelt . . . Indessen die neue Zeit wird auch eine neue Kunst gebären, die mit ihr selbst in begeistertem Einklang sein wird, die nicht aus der verglichenen Vergangenheit ihre Symbolik zu borgen braucht, und die sogar eine neue Technik, die von der seitherigen verschieden, hervorbringen muß. Bis dahin möge mit Farben und Klängen die selbsttrunkene Subjektivität, die weltentzügelte Individualität, die gottfreie Persönlichkeit mit all ihrer Lebenslust sich geltend machen, was doch immer ersprießlicher ist, als das tote Scheinwesen der alten Kunst."

Heine war also ein abtrünniger Romantiker, der Themen, Methoden und Tendenzen der Romantik nutzte, um ein Ende mit ihr zu machen. Deutschlands erster Großstadtlyriker, schrieb im Volkston. Mit E. Th. A. Hoffmann und Jean Paul hatte er Motive des Doppelgängers, der Doppelliebe, und die Dämonie gewisser Figuren gemein. Er schrieb Märchen und Legenden, wie die Romantiker, schuf Sagen neu, wie die Loreley, aber auch den „Fliegenden Holländer" und „Thannhäuser", die Richard Wagner für seine beiden Opern entlehnte, worauf er den Heine zum Lohn einen Juden schimpfte. Von den Frühromantikern nahm Heine die romantische Ironie, machte aber aus einem Spielzeug eine tödliche Waffe. Er sagte im Vorwort zur zweiten Auflage seiner „Reisebilder": „Freilich, diese frommen und ritterlichen Töne, diese Nachklänge des Mittelalters, die noch unlängst in der Periode einer patriotischen Beschränktheit von allen Seiten widerhallten, verwehen jetzt im Lärmen der neuesten Freiheitskämpfe, im Getöse einer allgemein europäischen Völkerverbrüderung und im scharfen Schmerzjubel jener modernen Lieder, die keine katholische Harmonie der Gefühle erlügen wollen und vielmehr, jakobinisch unerbittlich, die Gefühle zerschneiden, der Wahrheit wegen."

Heine verbrauchte das ganze Personal der Volksmärchen, Elfen, Nixen, Gespenster, den Teufel, und die Engel und Erzengel.

Er benutzte alle Materialien der Romantik und des Volkslieds, Mondschein und Sterne, Rosen und kosende Veilchen und schuf einen Kulissenzauber der Romantik. Vor Jacques Offenbach und Nestroy machte Heine aus Antike und Mittelalter ironische Puppenspiele. Lange vor

197

Freiligrath und Rudyard Kipling und dessen Nachahmer Bertolt Brecht benutzte Heine das Exotische von Indien bis Mexiko. Er schlug die Romantiker mit allen Reizen, die er ihnen abgelauscht. Er bewunderte den großen „Kunstheiden" Goethe, wie er ihn nannte, und den „Kosmopoliten Schiller", von dem Heine sagte: „Das schönste Herz, das jemals in Deutschland geliebt und gelitten hat", er bewunderte Lessing, von dem er schrieb, daß er „in der ganzen Literaturgeschichte derjenige Schriftsteller ist, den ich am meisten liebe". Im komischen Vers-Epos „Atta Troll", das Heine „das letzte freie Waldlied der Romantik" hieß, verlachte er die moderne Tendenzpoesie des „Jungen Deutschland", dessen Führer er angeblich war, einer Literaturschule, welche der König von Preußen durch sein Verbot und seine Zensur erst benannt und damit geschaffen hatte. Heine schrieb mit seinem komischen Vers-Epos „Deutschland. Ein Wintermärchen" das tendenziös schärfste satirische Gedicht in deutscher Sprache.

Heine sagte seinem Verleger Campe: „Es ist ein höchst humoristisches Reise-Epos, welches die ganze Gärung unserer deutschen Gegenwart in der kecksten persönlichen Weise ausspricht. Es ist politisch romantisch und wird der prosaisch bombastischen Tendenzpoesie hoffentlich den Todesstoß geben."

Heine schuf, wie sein Freund Honoré de Balzac, mit allen Mitteln der Romantik den neuen Realismus. Balzac war konservativ, Heine der schärfste bürgerliche Revolutionär. In seiner Vorrede zum „Salon I", sagte er: „Ich, der ich vielleicht der entschiedenste aller Revolutionäre bin, der ich auch keinen Finger breit von der großen Linie des Fortschritts gewichen, der ich alle großen Opfer ge-

198

bracht der großen Sache — ich gelte jetzt für einen Abtrünnigen, für einen Servilen!"

Weil Heine die Bildung seines Jahrhunderts in seiner
originellen Person erfaßte, weil er in allem, was er beschrieb, von der eigenen Person bis zu den literarischen
und politischen Tagesfiguren, den historischen Charakter
und die großen Bezüge traf, weil er zugleich die ganze
Zeitgeschichte mit dem grotesken Nahblick und der geradezu lüsternen Intimität des Memoirenschreibers erzählte,
als wäre sein Jahrhundert nur ein Kapitel seiner Autobiographie, weil er in der Tat der weiteste und modernste Geist seines Zeitalters war, ein schöpferisches Archiv
der Epoche und auf vielen Feldern ein Initiator, ein
authentischer Prophet, darum hat er in unvergleichlicher
Weise den breitesten, den tiefsten Einfluß auf die deutsche ja die abendländische Literatur gehabt. Er wirkte
ungemein auf Freunde und Feinde, hier eingestanden, dort
verleugnet, hier offensichtlich, dort insgeheim. Seine schärfsten Feinde warfen ihm vor, er habe ganze literarische
Gattungen geschaffen oder (wie sie glauben) zum unheil-
vollen Triumph gebracht. Ein geradezu glänzender lokaler Pamphletist, Karl Kraus, die „Wiener Fackel", der
freilich ohne Heine literarisch nie zur Welt gekommen
wäre, heißt den Heine den Vater des Feuilletons, und
wirft dem Feuilleton wie der ganzen Presse den Untergang der abendländischen Kultur vor, in seinem Pamphlet eines jüdischen Antisemiten von 1910, „Heine und
die Folgen".

Heine ist solch ein Riese in der europäischen Literatur,
daß ganze Literaturgattungen von einzelnen seiner Ne-
benwerke herzustammen scheinen. Er wurde bis zur Kari-

katur imitiert und plagiiert. Seit Martin Luther und Goethe hat kein deutscher Autor so viel für die Entwicklung der deutschen Sprache geleistet. Seine literarischen und intellektuellen Schuldner gehören zu den folgenreichsten Autoren, wie Karl Marx und Sigmund Freud, Friedrich Nietzsche und Richard Wagner, Leopardi und Carducci, Strindberg und Shaw, Tschechow und Turgenjew, Theodor Storm und Gottfried Keller, Gerhart Hauptmann und Hofmannsthal, Thomas Mann und Heinrich Mann, Richard Dehmel und Frank Wedekind, Julian Tuwim und T. S. Eliot, Pasternak, Petöfi und Mickiewicz, Gottfried Benn und Ezra Pound und jeder zweite deutsche Journalist, der schreiben kann.

Der berühmte Satz von Oscar Wilde, zuweilen ahme die Natur die Werke von Menschen nach, ist ein Plagiat an Heine. Nietzsche übernahm Heines Wort: „Gott ist tot". Das deutsche Chanson von Liliencron bis Bierbaum, Falke und Dehmel bis Klabund, Wedekind, Erich Kästner, Walter Mehring, Tucholsky und Brecht, sogar Hermann Hesse und Rudolf Alexander Schröder, das Lied bis Magnus Enzensberger und Ingeborg Bachmann zeigen alle die Handschrift Heines. Die Blechtrommel von Günter Grass schreibt sich von Heines Trommler im Buch Le Grand her.

Die französische Kritik und die französischen Poeten bestätigten oft, wieviel die französische Poesie und Prosa dem Henri Heine verdanke, wie sie Heine heißen, der ihnen als einer ihrer großen französischen Autoren gilt, weil er einige seiner Bücher zuerst französisch veröffentlicht hat. Kein fremder Poet hatte in Frankreich oder in Italien oder in Rußland stärkere Wirkung.

Alfred de Musset und Théophile Gautier und Gerard de

Nerval, Heines Freunde, aber auch Charles Baudelaire und Paul Verlaine und Jules Laforgue und Guillaume Apollinaire, Paul Eluard und Louis Aragon, Heine hat sie alle beeinflußt und durch viele von ihnen wieder auf die deutschen Lyriker gewirkt. Der englische Lyriker Auden, der amerikanische Poet Louis Untermeyer, der eine Biographie von Heine publiziert hat, sind Erben Heines.

Heines Reisebilder, von Lawrence Sterne und Jean Paul beeinflußt, seine Feuilletons und Pamphlete, seine Porträts fanden brillante Nachahmer, vom Fürsten Pückler-Muskau bis Alfred Polgar und Arno Schmidt, von Heinrich Mann bis Alfred Kerr und Karl Kraus, bis Joseph Roth und Alfred Andersch. Viele französischen Historiker benutzten Heines Pariser Artikel in der „Augsburger Allgemeinen Zeitung" als hervorragende Geschichtsquellen.

Kein anderer deutscher Autor beeinflußte so viele Wissenschaften wie Heine: Philosophie und Philologie, Altertumswissenschaft und Psychologie, und das moderne Ballett. In seiner Studie über den Witz stützte sich Sigmund Freud auf Heinrich Heine.

Wer den Heine kennt, erkennt seine Ideen und Formulierungen bei Karl Marx und bei Sigmund Freud wieder, bei Stirner und Bakunin, bei Enfantin und bei Trotzki. Heine war ein scharfsinniger origineller politischer Denker. Die Werke und Briefe von Karl Marx zitieren Heine und dessen Ideen. Heine hat lange vor Trotzki das Wort und den Begriff „Weltrevolution" als erster geprägt. Er war ein Anreger des jungen Karl Marx, bevor sie in Paris zusammentrafen. Heine sah so früh wie Balzac die eventuelle Korruption des Bürgertums, und daß die Bourgeoisie, wie zuvor Klerus und Adel, die Gesetze als Waffe zur Unterdrückung einer neuen ausgebeuteten Klasse benutzen würde, des Proletariats. Wie Balzac sah Heine den neuen Götzendienst vor Mammon, dem Abgott der Puritaner.

Heine sah auch früh die tristen Exzesse von Revolutionen, eine entzauberte Zukunft des mißbrauchten Kommunismus, und wie leicht eine Weltrevolution zum „Weltkuddelmuddel", zum „Weltanarchismus" führen könnte. Heine hat gesagt, daß er die Romantik ins Lager der Revolution geführt habe. Sein Einfluß führte viele französische Romantiker ins linke Lager. Marx übernahm Heines Mischung aus romantischer Ästhetik und Hegelscher Geschichtsphilosophie. Heine war mit seinem Buch „Zur Geschichte der Religion und Philosophie in Deutschland, Dezember 1834", der 1. Junghegelianer.

Gelähmt im gelähmten Europa Metternichs nach 1848 gab Heine den Mut und die Meinungen nicht auf. Gegen Individuen nachsichtig, wie jeder konsequente Moralist, war er gegen Ideen und Kunstwerke rigoros, gegen Tyrannen, gegen Unrecht und gegen Dummheit intolerant. Er saß auf der Bank der Spötter, eitel Lebensmut und Lebensgüte. Heine schrieb: „Ja, das ist es. Eben wie ich geboren, das Schlechte und Verlebte, Absurde, Falsche und Lächerliche einem ewigen Spott preiszugeben, so ist es auch ein Zug meiner Natur, das Erhabene zu fühlen, das Großartige zu bewundern und das Lebendige zu feiern."

Er schrieb schon 1829: „. . . ich war ein braver Soldat im Befreiungskampf der Menschheit."

Obgleich feststeht, daß Heine in Düsseldorf geboren wurde (wahrscheinlich am 13. Dezember 1797) bleibt zweifelhaft, was für ein Landsmann er eigentlich war, Bayer, Franzose, Preuße? Denn Jülich-Berg mit der Hauptstadt Düsseldorf gehörte dem bayerischen Kurfürsten Karl Theodor, 1795 besetzten die revolutionären Franzosen Düsseldorf, also wurde Heine Franzose, 1801 wurden er und sein Land wieder kurbayerisch, 1806 wurde er Bürger des Großherzogtums Berg unter Napoleons Schwager Murat, 1811 Franzose, da Berg unter die französische Zentralverwaltung kam, 1813 wurden Heine und das Großherzogtum Berg und Düsseldorf einverleibte Preußen. Durch solchen geschwinden Nationalitätenwechsel in jungen Jahren wurde Heine ein glühender Patriot, aber der Menschheit, und freilich einer der uneigennützigsten Patrioten, die Deutschland je hatte. Heine verfolgte nämlich nicht seine Interessen, sondern die Interessen des Volkes. In seinem ersten Testament schrieb Heine: „...obgleich ich, aufs engste befreundet mit den Reichsten und Mächtigsten dieser Erde, nur zuzugreifen brauchte, um Gold und Ämter zu erlangen; so sterbe ich dennoch ohne Vermögen und Würden. Mein Herz hat es so gewollt; denn ich liebte immer die Wahrheit und verabscheute die Lüge!"

Heine, der Sohn der Revolution, wollte die Befreiung und die Wohlfahrt der Völker, aber er hat nicht die schmutzigen Mittel der Revolution akzeptiert, Blut und neue Unterdrückung unter neuen Namen und Gruppen. Er schrieb: „Ich trug an Bord meines Schiffes die Götter der Zukunft . . ." Er sagte: „Die schöne Formel, die wir wie viele andere vortreffliche Dinge den Saint-Simonisten zu verdanken haben: ,Die Ausbeutung des Menschen durch den Menschen' führt uns über alle Deklamationen über die Privilegien der Geburt hinaus . . . Es handelt sich nicht mehr darum, die alte Kirche zu zerstören, sondern vielmehr darum, eine neue aufzubauen, und weit davon entfernt, das Priestertum vernichten zu wollen, wollen wir uns jetzt selbst zum Priester machen."

Heine wollte nicht die eine Unterdrückung abschaffen, um eine neue Unterdrückung einzurichten. „Nur Narren wollen gefallen", sagte er. „Der Starke will seine Gedanken geltend machen."

Die Schriften dieses Autors wurden in Deutschland im 19. Jahrhundert verboten, sie wurden im 20. Jahrhundert verbrannt. Linke und rechte Gegner plünderten ihn mit der rechten Hand, und denunzierten ihn mit der linken Hand, Arnold Ruge und Friedrich Engels, Karl Gutzkow und Friedrich von Gentz.

In Vers und Prosa verteidigte Heine die Sache des Volks. 1972 geht es um dieselbe Sache. Heine ist heute so aktuell wie damals. Ausbeuter, Tyrannen und Volksfeinde fürchten und verfolgen ihn heute wie damals. Sie versuchen, ihn zu fälschen und totzuschweigen. Wann immer man Heine in Deutschland ein Denkmal errichten wollte, wenn man diesen großen deutschen Dichter öffentlich ehren wollte, waren die Finsterlinge parat, und erfanden Gründe gegen ihn, so armselig wie sie selber sind. Die Reaktionäre von 1972 gleichen mit Haut und Haar den verschollenen Usurpatoren und ihren literarischen Lohndienern, sie haben nur Masken und Kostüme gewechselt, aber sie gebrauchen dieselbe volksfeindliche Technik, das selbe gestohlene Vokabular der Freiheit, der Demokratie, der Revolution für ihre schamlose Ausbeutung. Gründe, sagte Shakespeare, sind billig wie Brombeeren.

Heine führte allein, ohne Unterstützung durch Parteien, Gruppen oder Mächtige den Kampf gegen überalterte politische oder soziale Ordnungen, gegen heruntergekommene Religionen und Weltanschauungen, gegen jede unmoralisch gewordene überholte Moral.

Politisch verleumdet und ästhetisch verkannt wurde Heine in Deutschland zu Lebzeiten wie heute. Es sind die gleichen Volksfeinde, die ihn 1823 als Juden in ihrer Literaturkritik anpöbelten und die ihn 1972 unwert finden, der Universität in der Stadt seinen Namen zu geben, die einzig durch ihn in der Welt einen großen Namen hat. Damals hießen sie Teutsche, später Nazis, heute Feinde des Historismus. Sein Spott trifft noch immer jedes Unrecht übermächtiger Eigentümer, der Superkapitalisten, den ganzen Unfug falscher Götter, die so sterblich wie Menschen sind, die infektiösen Weltseuchen des Chauvinismus, des Rassenwahns, den Warencharakter moderner Menschen, alle käuflichen Sorten von Menschen, die zu Markenartikeln nutzbringenden religiösen oder politischen Aberglaubens werden.

Für diesen großen Ketzer der deutschen Literatur wurde in jedem Jahrzehnt ein neuer Scheiterhaufen errichtet. Laut Lessings Nathan: Der Jude wird verbrannt. Heinrich Heine, ein deutscher Dichter, ein deutscher Märtyrer!

Wie witzig, wie verzweifelt schildert Heine in seinem „Buch Börne" deutsche Revolutionäre, die nach der französischen Julirevolution von 1830 auf dem Hambacher Fest ihre eigene Revolution verschieben, weil sie bei ihrer Abstimmung darüber, ob sie auch die Kompetenz zu einer deutschen Revolution hätten, durch Mehrheit beschlossen hatten, diese Kompetenz hätten sie nicht. „O Schilda, mein Vaterland!" ruft Heine.

Selber im Pariser Exil, beschreibt Heine im Porträt eines anderen revolutionären Patrioten im Exil, des Ludwig Börne, die Konflikte zwischen den Linken und den Superlinken, als wären es die Konflikte von heute.

Heine ergreift Partei zwischen jenen, die in intellektuellen und physischen Stadtguerilla-Kämpfen den Aufstand unternehmen, nur um die Gewalthaber zu wechseln, und jenen, welche die Völker zur wahren Revolution erziehen wollen, die alle Gewalthaber überflüssig machen will, auch jene, die im Namen von Religionen, Ideologien und anderen Menschheitsträumen Menschen unterdrücken. Heine war, wie er in einem seiner letzten Gedichte sagt, „des Lebens treuester Sohn".

Heine war neben Lessing der entschiedenste Moralist der deutschen Literatur, wie Georg Büchner ein skeptischer, ein toleranter, ein witziger Revolutionär. Weniger als dem Georg Büchner, der die Vorsicht bewies, jung zu sterben, verzieh man dem Heine, daß er beharrlich gegen alle Feinde des Volks aufgetreten ist, gegen alle falschen Privilegien und angemaßten Vorrechte, gegen vererbten Adel und verderbten Klerus, gegen Absolutismus und totalitäre Tyrannei in jeder Form, gegen Krieg und Chauvinismus, gegen den traurigen Übermut neuer und alter Reicher, gegen die stupide Vorstellung von der Heiligkeit jeder Art von Eigentum, einschließlich dem Schoß der angetrauten Gattin, und vor allem auch gegen die finsterfröhliche Dummheit der Armen und gegen die perverse Wollust vieler Getretener und Unterdrückter, die masochistische Wollust an Tritten und Unterdrückung. Heine war der vernünftigste Verteidiger des Anspruchs auf individuelle Freiheit, auf Schönheit und Muße für jedermann. Er schrieb: „Die Menschheit ist zum Glücklichsein bestimmt." Er predigte das große Völkerbündnis aller Nationen. Er sagte: „Der Parteigeist ist ein Prokrustes, der die Wahrheit schlecht bettet." Und: „Das Leben ist weder Zweck noch Mittel, das Leben ist ein Recht." Und: „Den Himmel überlassen wir den Engeln und den Spatzen." Was immer er für oder gegen Deutschland gesagt hatte, sprach er am Ende stets: „Das ist es. Deutschland, das sind wir selber."

Im V. Kapitel seiner „Stadt Lucca" schreibt er: „Ach! Man sollte eigentlich gegen niemanden in dieser Welt schreiben!" Zum Glück hielt sich dieser große Pamphletist nicht daran.

Ja, Heine hat alles gesagt. Er hatte beispiellosen Mut, sogar den horazischen, seine Furcht zu gestehen.

Wenn es die gute Sache galt, hat Heine weder Freunde noch Feinde noch sich geschont. Er besaß nichts als seine Feder und seinen Witz, verfolgt vom König von Preußen und 36 bundesdeutschen Zensoren, von Metternich und dem infamen Gentz, und vom „angestammelten" Bayernkönig Ludwig I., von Haftbefehlen, Ausweisbefehlen, Bücherverboten, für geschriebene und für noch ungeschriebene Bücher, auch durften weder der Autor Heine, noch seine Bücher öffentlich erwähnt werden, in seinem Jahrhundert und in unserem Jahrhundert.

In den „Englischen Fragmenten" erzählt Heine vom Kaiser Karl V., der im Kerker sitzt. „Da öffnete sich plötzlich die Kerkertüre, und herein trat ein verhüllter Mann und wie dieser den Mantel zurückschlug, erkannte

der Kaiser seinen treuen Kunz von der Rosen, den Hof-
narren. Dieser brachte ihm Trost und Rat, und es war
der Hofnarr."

„O deutsches Vaterland", schreibt Heine, „teures deutsches Volk. Ich bin dein Kunz von der Rosen. Der Mann,
dessen eigentliches Amt die Kurzweil und der dich nur
belustigen sollte in guten Tagen, er dringt in deinen Kerker zur Zeit der Not. Wenn ich dich nicht befreien kann,
so will ich dich wenigstens trösten ... Denn du, mein
Volk, bist der wahre Kaiser, der wahre Herr der Lande
— dein Wille ist souverän — die allein rechtmäßige
Quelle aller Macht."

„Bin ich denn wirklich Kaiser?" fragt das Volk. Und
Heine sagt ihm, bald „seid ihr stolz wie ein Kaiser, und
übermütig und gnädig, und ungerecht, und lächelnd, und
undankbar wie Fürsten sind."

„Kunz von der Rosen, mein Narr, wenn ich wieder
frei werde, was willst du dann anfangen?"

Ich will mir dann neue Schellen an meine Mütze nähen.
Und wie soll ich deine Treue belohnen?

„Ach, lieber Herr", erwiderte Heine, „laßt mich nicht
umbringen!"

Schon 1823 schrieb Heine in „Über Polen": „ . . . es
ergreift mich ein unendlicher Schmerz, wenn ich einen
Mensch vor einem andern so tief erniedrigt sehe."

In „Nordsee" schrieb er: „Meine Ahnen gehörten nicht
zu den Jagenden, vielmehr zu den Gejagten."

Er schrieb in den „Englischen Fragmenten", wie im Buch
Börne: „Die Französische Revolution war ein Signal für
den Befreiungskrieg der Menschheit. Ich bin ein Sohn der
Revolution ..."

Lange vor Zolas „J'accuse" schrieb Heine gegen die berüchtigten Ausnahmebeschlüsse des Bundestags vom 28. Juni 1832: „. . . kraft meiner Machtvollkommenheit als öffentlicher Sprecher erhebe ich gegen die Verfertiger dieser Urkunde meine Anklage und klage sie an des gemißbrauchten Volksvertrauens, ich klage sie an der beleidigten Volksmajorität, ich klage sie an des Hochverrats am deutschen Volk, ich klage sie an!"

Heine schrieb: „So lassen die Völker sich nicht mehr von den Lohnschreibern der Aristokratie zu Haß und Krieg verhetzen; das große Völkerbündnis, die Heilige Allianz der Nationen kam zustande, wir brauchen aus wechselseitigem Mißtrauen keine stehenden Heere von vielen hunderttausend Mördern mehr zu füttern, wir benutzen zum Pflug ihre Schwerter und Rosse, und wir erlangen Frieden und Wohlstand und Freiheit. Dieser Wirksamkeit bleibt mein Leben gewidmet: es ist mein Amt."

An Heinrich Laube schrieb Heine 1833: „. . . die Leute werden uns schon verstehen, wenn wir ihnen sagen, daß sie in der Folge alle Tage Rindfleisch statt Kartoffeln essen sollen und weniger arbeiten und mehr tanzen sollen. Verlassen Sie sich darauf, die Menschen sind keine Esel."

Heine sagte: „Die Sache des Volks ist nie die populäre Sache in Deutschland." Heine wartete auf die deutsche Revolution, obgleich er geschrieben hat: „Eine Revolution ist ein Unglück, aber eine mißglückte Revolution ist ein noch größeres Unglück."

Am 28. Februar 1842 hob eine Kabinettsorder des Königs von Preußen, Friedrich Wilhelm IV., den Sondererlaß für diejenigen der fünf Autoren vom „Jungen

Deutschland" auf, die unterschreiben würden „gewissenhaft alles, was die Religion, die Staatsverfassung und das Sittengesetz beleidigt, zu vermeiden". Der König versicherte, bei einem Rückfall würde der Sondererlaß wieder in Kraft treten, „und dann für immer".

Mundt, Laube und Gutzkow unterschrieben, der letztere unter Vorbehalten. Wienbarg und Heine unterschrieben nicht. Im Vorwort zu „Deutschland. Ein Wintermärchen" schrieb Heine 1844: „Wenn wir die Dienstbarkeit bis in ihrem letzten Schlupfwinkel, dem Himmel zerstören ... wenn wir das arme glückenterbte Volk und den verhöhnten Genius und die geschändete Schönheit wieder in ihre Würde einsetzen ... von dieser Sendung Deutschlands träume ich ... das ist mein Patriotismus."

Heine war immer der Erste, der über seine eigenen Witze gelacht hat. Der radikale Ludwig Börne sagte von Heine: „An der Wahrheit liebt er nur das Schöne." Als ihm Heine gestand, Metternich könne ihn nur bestechen, wenn er ihm alle Mädchen von Paris gäbe, fand ihn Börne „liederlich".

Heine rief unmutig: „Was habe ich mit Börne zu schaffen? Ich bin ein Dichter."

Und Heine lebt! Aber Deutschland verstößt seinen Heine unter fadenscheinigen Vorwänden immer in ein neues Exil?

Bevor er nach Paris ging, schrieb Heine an Karl August Varnhagen von Ense: „Ich bin umgeben von preußischen Spionen ... Fliehen wäre leicht, wenn man nicht das Vaterland an den Schuhsohlen mit sich schleppte!" Am 28. Dezember 1832 schrieb Heine aus Paris an seinen Hamburger Verleger Julius Campe: „Ich weiß, daß ich mir Deutschland auf Lebenszeit versperre, wenn die Vorrede erscheint, aber sie soll ganz so erscheinen, wie das Manuskript ist, und nebst der Vorrede zur Vorrede."

Am 21. September 1844 schrieb Heine aus der freien Stadt Hamburg an Karl Marx: „Liebster Marx . . . ich bereite mich zur Abreise, beängstigt durch einen Wink von oben — ich habe nicht Lust, auf mich fahnden zu lassen, meine Beine haben kein Talent, eiserne Ringe zu tragen, wie Weitling sie trug. Er zeigte mir die Spuren."

Heine sagte, diesmal zum lieben Gott: „Du weißt ja, daß ich kein Talent zum Martyrtume habe . . .

Im „Buch Börne" schreibt Heine, frei nach Boccaccios „Leben Dantes": „Wenn Dante durch die Straßen von Verona ging, zeigte das Volk auf ihn mit Fingern und flüsterte: Der war in der Hölle! Hätte er sie sonst mit all ihren Qualen so treu schildern können . . . Wie weit tiefer bei solch ehrfurchtsvollem Glauben wirkte die Erzählung der Francesca von Rimini, des Ugolino und all jener Qualgestalten, die dem Geiste des großen Dichters entquollen, er hat sie nicht gedichtet", schreibt Heine, „er hat sie gelebt, er hat sie gefühlt, er hat sie gesehen, betastet, er war wirklich in der Hölle, er war in der Stadt der Verdammten . . . Er war im Exil!"

Also, das Exil, sagt Heine, ist die Hölle.

Im allgemeinen vergessen und vergeben die Völker ihr eigenes Unrecht und verzeihen sogar jenen Unschuldigen, die sie ausgetrieben haben. Halb Europa wurde und wird in unserem Jahrhundert von heimgekehrten Exilierten regiert, Lenin und Trotzki in Rußland, De Gaulle in Frankreich, Saragat in Rom, Ulbricht in der DDR, Tito in Jugoslawien, die Könige von Holland und Norwegen kehrten aus dem Exil heim, in der Bundesrepublik Deutschland sitzen Wehner und Brandt in der Regierung, in Österreich Bruno Kreisky. Dem Heinrich Heine hat man sein Exil bisher nicht verziehen. Man stößt ihn in die Hölle zurück.

Die Geschichte der Kritik an Heine, seiner Rezeption, seiner Denkmäler in Deutschland und speziell in Düsseldorf, ist ein säkulärer Weltskandal.

Und was beschließt die Universität in Düsseldorf? Was sagen die Professoren, Rektoren, die Assistenten, die Studenten und Studentinnen?

Heine wird uns alle überleben, mitsamt der Universität in Düsseldorf. Wenn die Universität den Heine ablehnt, unter welchem Vorwand immer, schändet sie nicht den Heine, sie schändet sich, vor der Welt, vor dem deutschen Volk, vor jedem einzelnen deutschen Autor. Sie sprechen nicht das Urteil über Heine. Sie sprechen das Urteil über sich!

Ludwig Feuerbach,
der Advokat des Menschen

Sein Leben lang hat Ludwig Feuerbach mit Gott ge-
kämpft, und beide haben dabei gewonnen. Um den Menschen von der Tyrannei der Kirchen und Staaten zu befreien, hat Feuerbach dargelegt, warum nicht Gott den
Menschen nach seinem Bilde, sondern der Mensch nach
seinem Bilde den Gott geschaffen hat. Bedürfnis und
Wünsche, Furcht und Liebe veranlaßten den Menschen,
seinen Gott zu erfinden.

In seinem Buch „Das Wesen des Christentums" schrieb
Feuerbach 1841: „Das absolute Wesen, der Gott des Menschen, ist sein eigenes Wesen . . . Wie der Mensch denkt,
wie er gesinnt ist, so ist sein Gott; so viel Wert der Mensch
hat, so viel Wert, und nicht mehr, hat sein Gott. Das
Bewußtsein Gottes ist das Selbstbewußtsein des Menschen,
die Erkenntnis Gottes, die Selbsterkenntnis des Menschen.
Aus seinem Gotte erkennst du den Menschen, und wiederum aus dem Menschen seinen Gott, beides ist eins ... Die
Religion ist die Entzweiung des Menschen mit sich selbst:
er setzt sich Gott als ein ihm entgegengesetztes Wesen
gegenüber."

Herbert Marcuse in „Vernunft und Revolution" (1941)

sagt: „Feuerbach beginnt bei der Tatsache, die anzuer-
kennen Kierkegaard versäumt hatte, daß nämlich in
gegenwärtiger Zeit der humane Inhalt der Religion nur
bewahrt werden kann, indem seine religiöse, jenseitige
Form aufgegeben wird. Die Verwirklichung der Religion
erfordert ihre Negation. Die Lehre von Gott (Theologie)
muß in eine Lehre vom Menschen (Anthropologie) umgewandelt werden. Beständiges Glück wird anheben mit
der Transformation des himmlischen Königreichs in eine
irdische Republik. . . Die Erde ist so weit, daß sie durch
die kollektive und bewußte Praxis der Menschen zu einem
Reich der Vernunft und der Freiheit umgestaltet werden
kann."

Feuerbach, der 1842 „Vorläufige Thesen zur Reform
der Philosophie" und 1843 „Grundsätze der Philosophie
der Zukunft" publizierte, schrieb: „Die neue Philosophie
(das ist Feuerbachs Philosophie) ist die Realisation der
Hegelschen, überhaupt der bisherigen Philosophie."

Feuerbach, ein aphoristischer Denker wie Nietzsche,
wirft, insbesondere der deutschen Philosophie ihre Abhängigkeit von ihren eigenen Systemen vor, wie er den
Juden den Monotheismus ankreidet. „Der Egoismus ist
wesentlich monotheistisch, denn er hat nur Eines, nur
sich zum Zweck . . ."

„Die Wissenschaft", sagt Feuerbach, „entsteht wie die
Kunst, nur aus dem Polytheismus, denn der Polytheismus
ist der offene neidlose Sinn für alles Schöne und Gute
ohne Unterschied, der Sinn für die Welt, für das Universum."

Nachdem Feuerbach aus Gott einen Menschen gemacht
hat, oder zumindest das Spiegelbild von Menschen, sah der

216

liebe Gott fast wie der Ludwig Feuerbach aus, der voll-
bärtig und diesseitig war, ein Dorfbewohner und universal, ein Frauenrechtler und — am Ende seines Lebens —
ein Nürnberger Sozialdemokrat, ein Hegelianer, der ein
Empirist und Sensualist wurde, der erst in der Vernunft,
später im Leib das Wesen unserer Existenz sah, der von
der Liebe wie ein als D'Annunzio verkleideter Heiliger
Franciscus von Assisi sprach, ein ausdauernder Ehemann,
der 24 Jahre lang von seiner Frau, dem vormaligen
Fräulein Berta Löw, auf dem Schloß Bruckberg in Franken, ausgehalten wurde, und dazwischen fünf Jahre lang
eine Liebschaft mit der zwanzigjährigen Tochter Johanna
seines Freundes Christian Kapp hatte, und der nach dem
Bankrott von Berta Löws Porzellanfabrik in Bruckberg
auf dem Rechenberg bei Nürnberg vereinsamt und in Be-
dürftigkeit lebte, zeitweise durch Geldsammlungen seiner
Leser unterstützt. Er war ein Gegner aller Gewalt und ein
Revolutionär, der dem Gustav Struve, dem Führer des
badischen Aufstands von 1848, auf die Forderung Struves,
mit ihm und dem Volk mit Waffen zu kämpfen, angeblich erwidert habe: „Ich gehe jetzt nach Heidelberg und
halte dort den Studenten Vorlesungen über das Wesen
der Religion, und wenn dann von dem Samen, den ich
dort ausstreue, in hundert Jahren einige Körnchen auf-
gehen, so habe ich zum Besten der Menschheit mehr ange-
richtet, als Sie mit Ihrem Dreinschlagen." Offenbar war
Feuerbach einer der seltenen Revolutionäre mit Geduld.
Dabei war die Freiheit des Menschen sein ganzes Ziel,
dafür mußte die Natur befreit werden, und die natürliche
Existenz des Menschen. Feuerbach schrieb („Vorläufige
Thesen zur Reform der Philosophie"): „Alle Wissen-

schaften müssen sich auf die Natur gründen. Eine Lehre
ist solange nur eine Hypothese, solange nicht ihre natürliche Basis gefunden ist. Dieses gilt insbesondere von der
Lehre der Freiheit. Nur der neuen Philosophie wird es
gelingen, die Freiheit, die bisher eine anti- und supra-
naturalistische Hypothese war, zu ‚naturalisieren‘.“

Feuerbach hielt nichts von idealistischen Lösungen der
Menschheitsfragen, er zog die großen „Suppenfragen“ vor,
wie Heine sie hieß. Bei allem Fortschritt der Geschichte,
glaubte Feuerbach, stehe es noch miserabel um den Menschen, und um die Philosophie, die vor dem „Leiden“ des
Menschen versagt. „Dem Denken geht das Leiden voraus“,
sagt Feuerbach in „Reform der Philosophie“. (Karl Marx
warf ihm später vor, „Feuerbach löst das religiöse Wesen
in das menschliche Wesen auf.“) Aber das menschliche
Wesen ist kein dem einzelnen Individuum innewohnendes
Abstraktum. In seiner Wirklichkeit ist es das Ensemble
der gesellschaftlichen Verhältnisse . . . Feuerbach sieht
daher nicht, daß das „religiöse Gemüt“ selbst ein gesell-
schaftliches Produkt ist und daß das abstrakte Individuum, das er analysiert, in Wirklichkeit einer bestimmten
Gesellschaftsform angehört . . . Die Philosophen haben die
Welt nur verschieden interpretiert; es kommt aber darauf
an, sie zu verändern.“ (Marx über Feuerbach. Niederge-
schrieben in Brüssel im Frühjahr 1845, diese Thesen wurden von Engels für den Druck bearbeitet und als Anhang
zu Friedrich Engels Schrift: Ludwig Feuerbach und der
Ausgang der klassischen deutschen Philosophie 1888 zum
erstenmal veröffentlicht.)

Ebendort berichtet Friedrich Engels 1888, also zwölf
Jahre nach Feuerbachs Tod: „Da kam Feuerbachs ‚Wesen

des Christentums'. Mit einem Schlag zerstäubte es den Widerspruch, in dem es den Materialismus ohne Umschweife wieder auf den Thron erhob. Die Natur existiert unabhängig von aller Philosophie; sie ist die Grundlage, auf der wir Menschen, selbst Naturprodukte, erwachsen sind; außer der Natur und den Menschen existiert nichts, und die höheren Wesen, die unsere religiöse Phantasie erzielt, sind nur die phantastische Rückspiegelung unseres eignen Wesens. Der Bann war gebrochen; das ‚System‘ war gesprengt und beiseite geworfen, der Widerspruch war, als nur in der Einbildung vorhanden, aufgelöst. Man muß die befreiende Wirkung dieses Buches selbst erlebt haben, um sich eine Vorstellung davon zu machen. Die Begeisterung war allgemein; wir waren alle momentan Feuerbachianer. Wie enthusiastisch Marx die neue Auffassung begrüßte, und wie sehr er — trotz aller kritischen Vorbehalte — von ihr beeinflußt wurde, kann man in der ‚Heiligen Familie‘ lesen . . . Die Hegelsche Schule war aufgelöst, aber die Hegelsche Philosophie war nicht kritisch überwunden . . . Feuerbach durchbrach das System und warf es einfach beiseite . . . Einstweilen schob die Revolution von 1848 jedoch die gesamte Philosophie ebenso ungeniert beiseite wie Feuerbach seinen Hegel. Und damit wurde auch Feuerbach selbst in den Hintergrund gedrängt . . .“

In der Tat hat Feuerbach, der nach einem so jähen wie flüchtigen Ruhm dieses Buches „Das Wesen des Christentums“ (1841), schon zu Lebzeiten für überholt und verschollen galt, und kaum mehr gelesen, ja 1856 schon totgesagt wurde, schließlich bis heute, und heute mehr als je, eine weite Wirkung und einen überraschend vielfältigen

219

Einfluß gehabt, insbesondere durch Marx und Engels. Er wirkte aber auch auf Gottfried Keller (der Feuerbachs Vorlesungen in Heidelberg gehört hatte und noch im „Grünen Heinrich" begeistert darüber schrieb, ungeachtet daß seine heißgeliebte Johanna Kapp den Feuerbach dem Keller vorzog), auf David Friedrich Strauß (den zu Lebzeiten Feuerbachs viel berühmteren Autor des „Leben Jesu"), auf den Linkshegelianer Arnold Ruge und auf George Eliot, die das „Wesen des Christentums" ins Englische übersetzt hat) auf Stirner und Nietzsche und Kierkegaard, auf Plechanow und Lenin, auf Ernst Bloch und Martin Buber, auf zahlreiche moderne protestantische Theologen, wie Paul Tillich und (in der Negation) Karl Barth. Ja, gewisse protestantische Theologen meinen, Feuerbachs Du-Entdeckung führe zu einem zweiten Neuanfang des europäischen Denkens, der über den ersten Cartesianischen Einsatz der Ich-Entdeckung hinausweise und sie setzen ihre Folgerungen an Feuerbachs naturalistischer Zerstörung des Supranaturalismus an. Ludwig Feuerbach, dieser abtrünnige Student der Theologie, der sein Leben lang von jenem Gott handelte, an den er nicht glaubte, dieser abtrünnige Schüler von Hegel, der erst Pamphlete für ihn, dann gegen ihn publizierte, und gegen die damals weltbeherrschende Hegelsche Philosophie seine eigene „Neue" Philosophie in Büchern ohne Auflagen und mit immer weniger Lesern verkündete, jene reformierte Philosophie, die er Anthropologie hieß, die Lehre vom Menschen, ebenso wie die Theologie, aus der er Gott eliminiert hatte, Feuerbach war, wenn er dachte und schrieb und, trotz seiner häufigen Neigung für vorsichtige Anonymität, schließlich doch unter seinem Namen publizierte, einer der mutigsten Menschen seines Jahrhunderts, der offen aussprach, was die klügsten und freisten Denker zweier Jahrtausende nur verhüllt und verstohlen anzudeuten gewagt hatten.

Als er noch ein Hegelianer war, schrieb er aus Ansbach am 22. November 1828 an Hegel, dessen Schüler er zwei Jahre lang in Berlin gewesen war, und dem er seine Dissertation „Über die eine, universale, unendliche Vernunft" zuschickte: „Es wird und muß endlich zu dieser Alleinherrschaft der Vernunft kommen . . . Es gilt jetzt eine zweite Schöpfung . . . Es kommt darauf an . . . die bisherigen weltgeschichtlichen Anschauungsweisen von Zeit, Tod, Diesseits, Jenseits, Ich, Individuum, Person und der außer der Endlichkeit im Absoluten und als absolut angeschauten Person, nämlich Gott usw., in welchem der Grund der bisherigen Geschichte und auch die Quelle des Systems der christlichen sowohl orthodoxen als rationalistischen Vorstellungen enthalten ist, wahrhaft zu vernichten, in den Grund der Wahrheit zu bohren . . . Die Vernunft ist daher im Christentum wohl noch nicht erlöst..."

Dagegen schreibt Feuerbach 34 Jahre später, 1862, in „Das Geheimnis des Opfers..."‚: „Der Satz: der Mensch ist, was er ißt, von mir in der Anzeige von Moleschotts ‚Lehre der Nahrungsmittel für das Volk' 1850 ausgesprochen, ist der einzige Satz, der von meinen bekanntlich längst ‚verschollenen' Schriften noch heute gewissen Leuten in den Ohren klingt, aber nur als ein die Ehre der deutschen Philosophie und Cultur verletzender Mißklang. Gerade dieser Übelklang hat mich aber in so guten Humor versetzt, daß ich es nicht unterlassen konnte, dieses famose Wortspiel zum Thema einer eigenen Abhandlung zu machen. Da aber der Hauptvorwurf meiner Schriften die Lösung des Rätsels der Religion ist, da ich alle andern Rätsel des menschlichen Geistes nur in der Beziehung auf die Religion, nur auf Grund oder Veranlassung der selben betrachte, zugleich aber bekanntlich ein ganz schrecklicher Materialist bin, so sehr in den Stoff in seiner rohesten Form versenkt, daß ich nicht einmal mehr weiß, daß der Mensch nicht nur ißt, sondern auch trinkt, was sich nicht auf Ist reimt, habe ich auch sogleich einen Gegenstand der Gastrologie (Lehre vom Magen, vom Gaumen) zu einem Gegenstand der Theologie, freilich damit auch umgekehrt einen Gegenstand der Theologie zu einem Gegenstand der Gastrologie gemacht; schmeichle mir aber deswegen mit der Hoffnung, zu der immer noch streitigen Frage: was ist denn der wahre Sinn des Speise- und Trankopfers? einen zwar kurzen, aber entscheidenden Beitrag geleistet zu haben."

Feuerbach trieb sein Leben lang Religionskritik, weil er glaubte, die Menschen könnten sich nur eine bessere Welt schaffen, wenn sie sich mit dem Tod aussöhnten und nicht mehr auf eine bessere Welt im Jenseits hofften.

In seiner Schrift „Todesgedanken" sagte er: „Arbeiten müßt Ihr anjetzt, nicht glauben — selber erzeugen, was euch not ist zum Leben und zum Heil." Er schrieb: „Die Politik muß unsere Religion werden." Und: „Die Aufhebung des Widerspruches zwischen Glaube und wissenschaftlicher Bildung ist die unerläßliche Bedingung einer sozusagen neuen Menschheit und neuen Zeit. Ohne sie sind alle politischen und sozialen Reformen eitel und nichtig."

Feuerbach, ein häufig hinreissender, zuweilen verschollen pathetischer Stilist, schrieb: „. . . auch werden einst die

222

Grundgedanken . . . (meiner Philosophie) sicherlich Eigentum der Menschheit werden, denn nur hohle, machtlose, dem wahren Wesen der Menschen widersprechende Illusionen und Vorurteile sind es, die ihnen in der gegenwärtigen Zeit entgegenstehen."

Im Vorwort zur ersten Gesamtausgabe seiner Schriften schrieb Feuerbach 1846: „Die wahre Philosophie ist die Negation der Philosophie, ist keine Philosophie . . . nur das Wirkliche, Sinnliche, Menschliche ist das Wahre . . ."

Anläßlich der Forderungen von Marx und Engels und Arnold Ruge, und des „Jungen Deutschland", wie seines Freundes Georg Herwegh, oder Börne und Heine schrieb Feuerbach: „Also laß auch die Gegenseite zu Wort kommen! Was will diese? Politische und soziale Reformen; aber um religiöse, geschweige um philosophische Dinge kümmert sie sich nicht im Geringsten. Die Religion ist diesen Anderen eine rein indifferente oder längst schon abgetane Sache. Es handelt sich gegenwärtig, sagen sie, nicht mehr um das Sein oder Nichtsein Gottes, sondern um das Sein oder Nichtsein von Menschen; nicht darum, ob Gott mit uns eines oder anderen Wesens ist, sondern darum, ob wir Menschen einander gleich oder ungleich sind; nicht darum, wie der Mensch vor Gott, sondern wie er vor Menschen Gerechtigkeit finde; nicht darum, ob und wie wir im Brote den Leib des Herrn genießen, sondern darum, daß wir Brot für unseren eigenen Leib haben; nicht darum, daß wir Gott geben, was Gott ist, und dem Kaiser, was des Kaisers ist, sondern darum, daß wir endlich dem Menschen geben, was des Menschen ist; nicht darum, daß und ob wir Christen oder Heiden, Theisten oder Atheisten sind, sondern darum, daß wir Menschen und

zwar an Leib und Seel gesunde, freie, tat- und lebens-
kräftige Menschen sind oder werden. Gewiß, meine Herren! Das eben will ich auch. Wer von mir nichts weiter
sagt und weiß, als ich sei Atheist, der sagt und weiß soviel
von mir als wie Nichts ... Ich negiere Gott. Das heißt
bei mir: ich negiere die Negation des Menschen, ich setze
an die Stelle der illusorischen, phantastischen, himmlischen
Position des Menschen, welche im wirklichen Leben notwendig zur Negation des Menschen wird, die sinnliche,
wirkliche, folglich notwendig auch politische und soziale
Position des Menschen. Die Frage nach dem Sein oder
Nichtsein Gottes ist eben bei mir nur die Frage nach dem
Sein oder Nichtsein des Menschen." Ist dieser Feuerbach
etwa nicht mehr aktuell?

Ludwig Feuerbach, am 28. 7. 1804 in Landshut geboren, hatte eine bildhübsche Mutter und einen berühmten
Vater. Er wurde ein Muttersöhnchen und ein schöner
Mann, versuchte aber vergeblich, ein Amt zu erlangen,
und es dem großen Vater gleichzutun. Ludwig Feuerbachs
vier Brüder wurden Professoren, nur er schaffte es nicht,
und wurde aus einem Privatdozenten ein Privatgelehrter
in einem Dorf, der wie ein Förster aussah und mit den
Bauern sein Bier trank, ein Philister und Revolutionär.
Und im Alter war nicht er berühmt, sondern sein Neffe
Anselm Feuerbach, der Maler.

Ludwig Feuerbachs temperamentvoller Vater Anselm
Feuerbach, den die seinerzeit berühmte „Schöne Seele"
und Erfolgsautorin Elisa von der Recke, ihren „Vesuvius"
hieß, hatte 1797 mit 23 Jahren gegen den Willen seines
Vaters die bildhübsche Wilhelmine Tröster aus Dornburg
geheiratet; er machte ihr 5 Söhne und 3 Töchter, hat 1798

seine „Philosophisch-juristische Untersuchung über das Verbrechen des Hochverrats" veröffentlicht, war 1801 schon Professor der Rechte in Jena, wurde Professor in Kiel, bald darauf im katholischen Landshut in Bayern, wo sein vierter Sohn, Ludwig, geboren wurde, den er, selber ein Lutheraner, katholisch taufen ließ. Er veröffentlichte 1806 seinen „Entwurf zur Abschaffung der Folter", 1813 das „Strafgesetzbuch für das Königreich Bayern". Im Gegensatz zu Kants Straftheorie war für Anselm Feuerbach die Abschreckung der Zweck der Strafe, ja die Abschreckungstheorie hieß geradezu die Feuerbachsche Theorie. 1814 veröffentlichte er in Leipzig „Über deutsche Freiheit und Vertretung deutscher Völker durch Landstände", publizierte später „Merkwürdige Kriminalrechtsfälle", und 1832 in Ansbach „Kaspar Hauser, Beispiel eines Verbrechens am Seelenleben des Menschen".

Der Vater war mit der Familie 1806 nach München, 1814 nach Bamberg gezogen, 1817 als Oberpräsident des Appellationsgerichts nach Ansbach, hierhin aber nur mit seinen Söhnen und einer Mätresse, indes er die Frau mit den Töchtern in Bamberg sitzen ließ.

Ludwig Feuerbach durfte gelegentlich, auf Fußtouren, die Mama in Bamberg besuchen. Schon entdeckte Ludwig Feuerbach, mit sechzehn Jahren, den lieben Gott und beschloß, ein Gottesdiener, ein Gotteslehrer, ein Theologe zu werden. Mit 24 Jahren beschreibt er den Vorgang in einem Brief. Er kam zu Gott „rein aus mir selbst, aus einem Bedürfnis nach einem Etwas, das mir weder meine Umgebung, noch der Gymnasialunterricht gab. In Folge dieser Richtung machte ich mir denn die Religion zum Ziel und Beruf meines Lebens und bestimmte mich daher

zu einem Theologen. Aber was ich einst werden sollte, das
wollte ich jetzt schon sein. Ich beschäftigte mich daher als
Gymnasiast eifrig mit der Bibel, als Grundlage der
christlichen Theologie. So habe ich, um des Hebräischen
Meister zu werden, mich nicht mit dem gewöhnlichen Gymnasialunterricht der hebräischen Sprache für künftige Theologen genügen lassen, sondern zugleich bei einem Rabbiner
Privatstunden genommen."

Als 1821 des Vaters Mätresse gestorben war, nahm der
berühmte Kriminologe seine Frau und seine Töchter wieder zu sich, Grund genug, daß Ludwig seine Studien einen
Winter lang hinausschob, und die Präsenz der Mama genoß.

Ostern 1823 inskribierte er sich bei der theologischen
Fakultät in Heidelberg und hoffte bei Daub „denkende
Religiosität" zu finden, fand aber nur Gründe, um 1824
nach Berlin zu Hegel zu gehen, bei dem er Logik, Metaphysik, Religionsphilosophie hörte.

Kaum in Berlin, wurde Ludwig Feuerbach zur Polizei
gerufen, sie nahm ihm den Paß ab. Die Universität verweigerte ihm die Inskription wegen der gegen ihn laufen-
den Untersuchung. Neun noch vorhandene Polizeiberichte,
vom 23. April bis 1. Mai 1824, offenbaren, wie man ihm
nachgespürt hat, was er an diesem und jenem Tag getan,
wann er seine Wohnung in der Mittelstraße 60 verlassen
hatte, wohin er gegangen war, und in wessen Begleitung,
wo er zu Mittag, wo zu Abend gespeist hatte, oder daß
er am 26. April vormittags etliche Kirchen, nachmittags
Charlottenburg besucht hatte. Die vom berüchtigten
Herrn von Kamptz geleitete „geheime Ministerialunter-
suchungskommission" hatte einen Spitzelbericht erhalten:

„Sämtliche Brüder Feuerbach seien Mitglieder eines Geheimbundes."

Am 16. Mai 1824 wurde Feuerbach wieder auf dem Polizeipräsidium, am 22. Juni vor dem akademischen Disziplinargericht, auf Verfügung der von Kamptz'-schen Kommission vernommen. Der preußische Gesandte am Hofe zu Darmstadt hatte Ende Mai die Abschrift eines aufgefangenen Brieffragments von Ludwig Feuerbach eingesandt, wo Feuerbach von einem beabsichtigten Fakkelzug sprach, den die Studenten dem König von Württemberg bringen wollten, weil dieser gegen die Schikanen der Studenten durch Preußen und Österreich protestiert hatte. Dieses Projekt, wogegen Feuerbach sich ausgesprochen hatte, sei im „Kreis der Tüchtigen", zur Sprache gekommen.

Dieser „Kreis der Tüchtigen" erschien also der Polizei als der gefährliche Geheimbund. Feuerbach konnte nachweisen, daß er „Tüchtige" nur jene Studenten geheißen hatte, die „selbst zu denken imstande waren und nicht bloß immer nachsprachen, was andere ihnen vorsagten, und nicht im Spiel, Trinken und in lüderlichen Ausschweifungen die Freuden des Studentenlebens suchten".

Erst als er ein Gesuch für seine Immatrikulation machte, um in den Genuß eines bayerischen Stipendiums zu kommen, wurde er am 24. Juni immatrikuliert.

Anfangs Mai 1824 war Feuerbachs älterer Bruder Karl, ein Gymnasialprofessor für Mathematik in Erlangen, verhaftet worden, „von Verhör zu Verhör und von Gefängnis zu Gefängnis" geschleppt, mit ihm waren insgesamt zwanzig junge Leute festgenommen. Obgleich das Gericht ein halbes Jahr nach der Verhaftung der zwanzig schließlich erklärte, es liege nichts gegen sie vor, wurden sie erst nach weiteren acht Monaten freigelassen, waren also offenbar keine Verschwörer. Karl, der zu Depressionen neigte, wurde nervenkrank, versuchte im Dezember 1824 sich umzubringen, wiederholte den Selbstmordversuch einige Wochen später, und kam in Pflege.

Ludwig Feuerbach, von Hegel begeistert, gab trotz dem Widerstand des Vaters, die Theologie auf und studierte Philosophie. 1846 schreibt Feuerbach an seinen Freund L. Noack: „Ich ging nach Berlin, um Hegel, zugleich aber auch die namhaftesten dortigen Theologen zu hören. Die Universität Berlin betrat ich in einem höchst zerrissenen, unglücklichen, unentschiedenen Zustand. Ich fühlte bereits die spätere Zwietracht zwischen Philosophie und Theologie, die Notwendigkeit, daß man entweder die Philosophie der Theologie oder die Theologie der Philosophie opfern müsse. Ich entschied mich für die Philosophie, hörte Schleiermacher und Neander, aber ich konnte es nur eine kurze Zeit bei ihnen aushalten. Der theologische Mischmasch von Freiheit und Unabhängigkeit, Vernunft und Glauben waren meiner, Wahrheit, d. h. Einheit, Entschiedenheit, Unbedingtheit verlangenden Seele bis in den Tod zuwider. Zwei Jahre hörte ich Hegel." Als er wegen finanzieller Schwierigkeiten Berlin vorzeitig verlassen mußte, sagte er zu Hegel, mit dem er im berühmten Berliner Weinrestaurant Luther und Wegner gespeist hatte: „Jetzt gehe ich Naturwissenschaft studieren." Erst später sagte Feuerbach, der wie seine Philosophie auch seinen geistigen Lebenslauf korrigierte: „Schon in Berlin nahm ich eigentlich Abschied von der spekulativen Philosophie."

In den „Fragmenten zur Charakteristik meines philosophischen Entwicklungsganges" schreibt Feuerbach 1826: „Wie verhält sich die Philosophie zur Religion, das Denken zum Sein, die Logik zur Natur?"

Und: „Ich bin nun fertig mit Hegel; ich habe mit Ausnahme der Ästhetik alle seine Vorlesungen, seine Logik sogar zweimal gehört. Aber Hegels Logik ist gleichsam das Corpus juris, die Pandekten der Philosophie; sie enthält die gesamte, sowohl alte als neuere Philosophie ihren Gedankenprinzipien nach; sie ist überdies die Darstellung seiner Methode. Das Wichtigste ist aber eben, sich nicht nur des Inhalts, sondern auch der Methode einer Philosophie zu bemächtigen."

Feuerbach mußte als kgl. bayerischer Stipendiat sein letztes Studienjahr in Bayern verbringen. Er wählte Erlangen und studierte vor allem Anatomie, Botanik, Physiologie. 1828 promovierte er mit seiner Dissertation: „De Ratione, una, universale, infinita." Diese „eine, allgemeine, unendliche Vernunft", ist wesentlich die Hegel'sche „Tätigkeit des Allgemeinen".

1829 wurde er für drei Jahre Privatdozent in Erlangen. Er las über Logik und Metaphysik. Er sagte (in den „Fragmenten zur Charakteristik meines philosophischen Entwicklungsganges"): „Ich trage die Logik ... die Denklehre als Erkenntnislehre, als Metaphysik vor ... wie sie Hegel erfaßt und dargestellt hat; ich trage sie jedoch nicht in und mit seinen Worten, sondern nur in seinem Geiste, nicht als Philolog, sondern als Philosoph vor. Ich trage sie aber gleichwohl nicht wie Hegel, in der Bedeutung der absoluten, der höchsten und letzten Philosophie vor, sondern nur in der Bedeutung des Organs der Philosophie ...

Die Logik in der Bedeutung der Metaphysik ist ein notwendiges Resultat der bisherigen Geschichte der Philosophie. Die angemessenste Einleitung in die Logik ist daher eine Darstellung der Geschichte der Philosophie!"

Allmählich kam er zum radikalen Bruch mit Hegels Philosophie, der er seinen Naturalismus entgegensetzte, in seiner Biographie „Pierre Bayle, ein Beitrag zur Geschichte der Philosophie und Menschheit", 1838, sowie „Zur Kritik der Hegelschen Philosophie" (in Arnold Ruges „Hallische Jahrbücher für deutsche Wissenschaft und Kunst", Leipzig 1839). Doch grenzte er sich selber von Materialisten wie Karl Vogt und Jakob Moleschott ab. „Der Materialismus", sagt Feuerbach, „ist für mich die Grundlage des Gebäudes des menschlichen Lebens und Wissens. Aber er ist für mich nicht, was er für den Physiologen, den Naturforscher im engeren Sinn, z. B. Moleschott ist, und zwar notwendig von ihrem Standpunkt und Beruf aus ist, das Gebäude selbst. Rückwärts stimme ich den Materialisten vollkommen bei, aber nicht vorwärts."

Feuerbach lehrte: „Die Natur ist entstanden, hat ein Prinzip über sich und vor sich voraus. Dieses Prinzip ist Gott, Geist, oder wie es heißen soll. Gott aber machte nicht die Natur, sondern er wurde selbst sein Werk; damit anderes bestände und würde, mußte er selbst ein anderes werden, das ist Natur. Gott erniedrigte und entäußerte sich zur Natur. Aber dieser entäußerte und in seiner Entäußerung ins Dasein getretene Gott äußerte im Verlust seiner Gottheit, seine wesentliche Unendlichkeit, sich zunächst nur in der schlichten Unendlichkeit, als bloßes rastloses Streben, nicht in Wirklichkeit, was Afformation der Unendlichkeit ist. Die Produkte dieses Strebens sind die Sterne."

Schon bei seinen Vorlesungen als Prviatdozent in Erlangen hatte er nur wenige Zuhörer, die ihm schließlich, wie er erzählt, von der pietistischen Partei abspenstig gemacht wurden.

Er sah sich vergeblich nach einer Berufung an einer Universität um, ja 1831 vergeblich nach einer Stelle eines Gymnasiallehrers in Frankfurt am Main. Er hatte sich seine akademische Karriere durch sein erstes Buch endgültig ruiniert, das anonym erschienen war, „Gedanken über Tod und Unsterblichkeit, aus den Papieren eines Denkers, nebst Anhang theologisch-satyrischer Xenien, herausgegeben von einem seiner Freunde, Nürnberg bei Johann Adam Stein, 1830, anonym". Das Buch wurde sogleich von der Polizei konfisziert.

Den größten Anstoß erregten die Verse am Ende dieses Buches, die Xenien, von denen Feuerbach sagt: „Die Erbärmlichkeit der Zeit mag ihre Derbheit entschuldigen; sie war notwendig." Feuerbach schreibt: „Nur wenn der Mensch wieder erkennt, daß es nicht bloß einen Scheintod, sondern einen wirklichen und wahrhaftigen Tod gibt, der vollständig das Leben des Individuums schließt, und einkehrt in das Bewußtsein seiner Endlichkeit, wird er den Mut fassen, ein neues Leben wieder zu beginnen, und das dringende Bedürfnis empfinden, absolut Wahrhaftes und Wesenhaftes, wirklich Unendliches zum Vorwurf und Inhalt seiner gesammelten Geistestätigkeiten zu machen." Und: „Also Nichts ist nach dem Tode? Allerdings; bist Du Alles, so ist, wenn Du stirbst, nach dem Tode Nichts; bist Du aber nicht Alles, so bleibt nach dem Tode noch

231

alles übrig, was Du nicht gewesen bist." Und: „Einmal nur bist Du reines Ich, bloßes Selbst, Einmal nur für Dich ganz allein, und dieser Augenblick ist der Augenblick des Nichtseins, des Todes."

Schon Christoph August Tiedge, der Dichter der „Urania" und Freund von Feuerbachs Vater, schrieb an Ludwig Feuerbach: „Auch fürchte ich, daß Ihr System Ihnen bei Ihrem Fortkommen in der von Ihnen eingeschlagenen Laufbahn böse Hindernisse veranlassen wird."

Feuerbach schrieb : „So weiß der Spiritualist nichts davon, daß der Mensch nicht des Geistes, sondern der Geist des Menschen wegen da ist, daß das sinnliche Wesen nicht ein Attribut oder gar ein Anhängsel des Geistes, sondern der Geist ein Attribut des sinnlichen Wesens ist. Daß nur ein sinnliches Wesen das Bedürfnis des Denkens empfindet, die Sinnlichkeit also der Grund, die Voraussetzung der Vernunft, des Geistes ist — aber eine Voraussetzung, die sich nicht, wie die der Hegelschen Dialektik als eine sichtlich scheinbare transitorisch erweist, sondern eine bleibende Wahrheit ist."

Feuerbach glaubt noch an ewige Wahrheiten, ein Skeptiker mit absoluten Thesen, ein ungläubiger Gläubiger, ein antiklerikaler und unchristlicher religiöser Prophet!

Feuerbach sah sich immer wieder nach einer Professur an deutschen Universitäten um, erst 1832 gab er es vorläufig auf, nach drei Jahren Dozentur. Im Frühjahr 1832 ging Feuerbach nach Frankfurt zu einer wohlhabenden Schwester seines Vaters, um Französisch zu lernen und Gymnasialprofessor zu werden, oder Hauslehrer in Paris, oder Redakteur einer politischen Zeitung in Preußen.

Am 29. Mai 1833 starb Feuerbachs Vater, Ludwig

Feuerbach kehrte nach Ansbach zurück. Ihm wurden mehrere Hofmeisterstellen angeboten, sie brachten aber zu wenig Geld. Anfangs 1833 hatte er an seine Schwester Helene von Dobenegg, einer Hausangestellten in Paris, geschrieben: „. . . Wie erwünscht wäre mir ein Posten wie der, zu dem Du mich bereits empfohlen hast! Ich gestehe, die Stelle eines Erziehers in Deutschland oder eine solche, die aus mir einen maitre de plaisir oder einen ersten Kammerdiener oder sonst dergleichen machen würde, . . . zu übernehmen, könnte ich nicht über mich bringen, aber eine in Paris . . . — nichts willkommener mir . . . Ich habe zwar einen Hang zur Meditation . . . aber ebenso einen Hang zur Mitteilung und überhaupt zum praktischen Leben . . . Die vorherrschende, alles überwiegende Neigung in mir ist, wie mein Leben beweist, die zum Studieren, zur Bildung des Geistes . . . und die Neigung zur Ordnung, zu einem geregelten und einfachen Leben . . . Übrigens habe ich wenig Hoffnung, diesen Posten zu bekommen. Warum? Faute d'amis, faute de Mécènes, faute de protecteurs . . . Ich stehe im Geruch, ein gräßlicher Freigeist, ein Atheist, ja, noch nicht genug — erschrick nicht! — der leibhaftige Antichrist selbst zu sein und was weiß ich noch alles. Zur Empfehlung — . . . dürfte es mir geraten, daß in einigen Wochen ein Werk von mir, Geschichte der neueren Philosophie, die Presse verläßt. Ich gedenke es mehreren französischen Gelehrten zu übersenden, wie z. B. Victor Cousin . . ."

Im Frühsommer 1833 erschien die „Geschichte der neueren Philosophie von Bacon von Verulam bis Benedikt Spinoza" (1847 neu bearbeitet und ganz ent'Hegel-t), 1834 starb sein Bruder Karl, und Ludwig Feuerbach gab den Verfolgungen durch die reaktionären deutschen Regierungen die Schuld daran.

1834 brachte Feuerbach sein Buch „Die Schriftsteller und der Mensch, eine Reihe humoristisch-philosophischer Aphorismen, ANHANG: Satirisch-theologische Distichen. 1830". (Ursprünglich hatte Feuerbach es betitelt: „Abälard und Heloise oder der Schriftsteller und der Mensch", und vorher noch: „Über Bücher und Schriftsteller, ein Beitrag zur Metaphysik der Seele, aber ein höchst sonderbarer".)

Zu jener Zeit schrieb Feuerbach: „Ich möchte lieber ein Teufel im Bunde mit der Wahrheit, als ein Engel im Bunde mit der Lüge sein."

Er hatte schon 1830 vergeblich sich um die Stelle eines Bibliothekars in Augsburg beworben, er hatte, um zu einer Professur zu gelangen, 1836 in Erlangen nochmals als Privatdozent eine Vorlesung über „Geschichte der Philosophie bis auf die neueste Zeit" gehalten. Schon Bettina von Arnim sagte, ein Privatdozent hat das Privilegium verhungern zu dürfen. Das galt auch für Feuerbach. Er wollte Professor werden, und verkündete, er wolle am liebsten nichts werden. An seinen Freund Kapp schrieb er: „Ich bin überhaupt . . . solange etwas, solange ich nichts bin."

Aber als er in Preußen eine Professur anstrebte, schrieb er auch prompt eine aufsässige Rezension gegen den superpreußischen Juden Friedrich Julius Stahl, der Staatsrechtler, Begründer der konservativen Staatstheorie auf protestantisch kirchlicher Basis und Verfechter des Gottesgnadentum war. Wieder nahm dem Feuerbach diese Rezension jede Aussicht.

1837 publizierte er seine „Darstellung, Entwicklung und Kritik der Leibnitzschen Philosophie" und 1838 seine Biographie „Pierre Bayle, ein Beitrag zur Geschichte der Philosophie und Menschheit". Da schrieb er: „Erkennen wir, daß es kein Heil für die Menschheit außer der Vernunft gibt." Auf Grund dieser beiden Bücher glaubte Feuerbach wieder gute Aussichten auf eine Professur zu haben. In voller Naivität, ja Verblendung über den Konflikt zwischen seinen Schriften und der erzreaktionären, von christlichen Kirchen beherrschten Epoche bewarb sich Feuerbach um Vakanzen an den Universitäten Marburg, Heidelberg, Freiburg, machte ein drittes Gesuch in Erlangen, und als ihn der Prorektor J. G. V. Engelhardt direkt fragte, ob die im Jahre 1830 erschienenen „Gedanken über Tod und Unsterblichkeit" nicht ohne seine Mitwirkung veröffentlicht seien, und Feuerbach bat, „ihn in den Stand zu setzen, den Ungrund dieser Vermutung nachzuweisen", da bekannte sich Feuerbach nicht als Autor. Inzwischen wurden alle seine Beiträge in den „Berliner Jahrbüchern" von der Zensur der Herausgeber, lauter Universitätsprofessoren, jämmerlich verschnitten. Schließlich hatte im Sommer 1837 das bayerische Ministerium die wiederholten Gesuche Feuerbachs um die außerordentliche Professur abschlägig beschieden.

Ohne Beruf, ohne Stellung, fast ohne Einnahmen, heiratete Ludwig Feuerbach am 12. November 1837, mit 33 Jahren, eine wohlhabende Erbin, Bertha Löw oder Löwe, die acht Monate älter war, als er, eine geschäftstüchtige, gescheite, hübsche Person, Tochter eines Inspektors der ursprünglich staatlichen, später privaten Porzellanfabrik im markgräflichen Schloß zu Bruckberg, in

Franken, drei Stunden zu Fuß von Ansbach entfernt. Nach Löwes Tod wurde die Fabrik von Stadler geleitet, dem Gatten der älteren Schwester Berthas.

Feuerbach schrieb schon 1834 an das „Verehrte Fräulein" Liebesbriefe. Aus Nürnberg schrieb er ihr, um 7 Uhr, 3. Februar 1835: „Nur einige Zeilen. Heute vorigen Jahrs — dem Tag nach — wie glücklich war ich da! Es war das Erstemal, daß ich allein mit Dir zusammen war . . . Es kommt mir so oft vor, als wäre meine Liebe zu Dir, ob sie gleich rein, wahr und gut ist, die größte Schuld, die ich auf meine schuldbeladene Seele geworfen habe. Nur das Denken steht dem Menschen ewig offen und frei, alles Andere ist juridisch: selbst zu der Liebe muß der Mensch — wenigstens sind die Ausnahmen selten — ein Recht haben."

Auch die Liebesbriefe dieses Philosophen handeln viel ausführlicher von Schelling und Spinoza als von der Geliebten. Freilich schrieb er ihr auch: „Sind mir ja auch von Dir wert und teuer die Fetzchen von Deinen Kleidern." Und Montag Abends 8 Uhr, 16. Febr. (Erlangen 1835): „Heute abend vermißte ich Dich, liebe Freundin! wieder aufs Allerherzlichste. Meine Seele war ein Abgrund . . . die süße, sichere Hoffnung, daß wir bald uns angehören werden? . . . Dienstag abends zehn Uhr. „Eben habe ich die auch Dir bekannte Rezension . . . bei Seite gelegt . . . Jetzt noch einige Augenblicke zu Dir, mein lieber Tag- und Nachtgedanke! . . . Gestern besonders, aber auch heute einige Augenblicke, befiel mich eine angstvolle Sehnsucht nach Dir. Es war mir, als fehlte Dir etwas und müßte ich Dir zu Hilfe eilen. Ganz bin ich Dein . . . So vergaß auch ich, mich nach der Dauer . . . und den wahren Stand meiner

Pension zu erkundigen. (Die bayerische Regierung hatte allen Kindern von Anselm Feuerbach eine lebenslängliche Pension zugesichert.) Gestern verschaffte ich mir nun die volle Gewißheit, daß mir meine Pension durchaus nicht, weder durch Heirat, noch Erbschaft, noch sonst etwas, außer durch eine Anstellung (wo es sich von selbst versteht) entzogen werden kann. Meine Pension ist zwar gering, sie beträgt jährlich 280 fl., aber sie ist doch Etwas, etwas Sicheres und Festes. Durch Schriftstellerei kann ich mir wenigstens jährlich 100 fl. verdienen, denn wenn ich auch in einem Jahr nur ein Paar Rezensionen, und keine selbständige Schrift liefern sollte, so werde ich dafür im zweiten oder dritten Jahr durch ein größere Schrift reichlich das Defizit an den 100 fl., die ich, um den geringsten Maßstab anzulegen, für jedes Jahr anschlage, wieder einbringen. Bisher hat freilich der Schriftsteller noch wenig materiellen Gewinn dem Menschen gebracht. Aber ich bin ja auch erst seit 1833 als Schriftsteller öffentlich bekannt, da meine erste Schrift anonym erschien . . ." Feuerbach fährt fort: „Als traurige Früchte ihres unseligen Garçonlebens bringen die jungen Ehemänner sehr häufig in den heiligen Ehestand Schulden mit, um sie erst in ihm zu tilgen . . . Auch mich . . . damit Du weißt, was Du zu wissen brauchst, denn in diesem delikaten Punkt darf der Mann Geheimnisse vor dem Weibe haben — fesseln, aber nicht mit reizenden Banden, Schulden an diese wunderschöne Erde . . ."

Aus Erlangen schreibt er ihr am Freitagmorgen (April 1836): „Das muß ich Dir offen gestehen, meine Teuere! daß ich aber deinet-, d.i. meiner Liebe wegen, mich um eine Stelle bewerbe. Denn ich für mich setzte meinen

Stolz daran, Nichts sein; ich habe keinen andern Trieb als das, was ich als wahr erkenne, auszusprechen, unbekümmert um die Welt. Die Welt ist gegenwärtig zu erbärmlich, jeder Schurke — wie es Beweise genug gibt — flüchtet seine gotteslästerlichen, selbstsüchtigen Meinungen als ein unangreifbares Heiligtum unter die Decke der Religion . . . aber man soll doch auch keine Lügen, keine Schlechtigkeiten billigen und dulden . . ."

Feuerbach heiratete, zog nach Bruckberg, lebte von seiner Frau, und blieb fast 25 Jahre in diesem Dorf im Wald. Er sagte: „Logik lernte ich an einer deutschen Universität, aber Optik, die Kunst zu sehen, lernte ich auf einem deutschen Dorf."

Der schwedische Philosoph Dr. Wilhelm Bolin, der nach Feuerbachs Tod dessen gesammelte Werke herausgab, war oft Feuerbachs Gast im Schloß Bruckberg.

Der berühmte Physiologe Jakob Moleschott schrieb in seinem berühmten Buch „Der Kreislauf des Lebens": „Will man die herkulische Tat, an welcher in unserer Zeit ein großer Teil der Menschen, ja unbewußt die ganze Menschheit arbeitet, soweit sie forscht, an einen Namen knüpfen, dann hat Ludwig Feuerbach die Tat vollbracht. Durch ihn ist die menschliche Grundlage für alle Anschauung, für alles Denken ein mit Bewußtsein anerkannter Ausgangspunkt geworden. Menschenkunde, Anthropologie hat Feuerbach zum Banner gemacht."

Am 6. September 1839 wurde Feuerbachs einziges Kind, seine Tochter Eleonore, geboren. (Ein zweites Töchterchen starb blutjung.) Nach Feuerbachs Tod hat Eleonore eine Auswahl seiner Aphorismen publiziert.

Durch Arnold Ruge kam Feuerbach, zum Verleger Otto

Wiegand in Leipzig, der bereit war, sämtliche Werke von Feuerbach zu drucken und beträchtliche Honorare zu zahlen. 1848 widmete Wiegand sein Buch „Epigonen" seinem Autor Feuerbach.

1841 erschien das einzige Buch, das Feuerbach zeitweise berühmt gemacht hat, „Das Wesen des Christentums". Feuerbach erlebte drei Auflagen dieses Buches, 1841, 1843 und 1849.

Am 4. 1. 1841 hatte Feuerbach seinem Verleger Otto Wiegand in Leipzig dieses Buch angeboten. Es sollte anonym erscheinen. Wiegand bestand darauf, daß es unter dem Namen des Autors erscheine und zahlte 400 fl. Honorar. Schließlich publizierte Feuerbach sein Buch unter seinem Namen und sagte nun: „Huttens letzter Freund war der Gänsekiel. Praeter calamum nil habeo. O hätte ich nie falsche Schranken mir auferlegt, wahrlich, es stünde besser mit mir. Heraus muß ich aus dem beschränkten Fach der Philosophie, in dem ich mich bisher verbarg."

Für Feuerbach galt Schillers Wort: „In seinen Göttern malet sich der Mensch." Feuerbach sagte: es sei eine empirisch-geschichtlich-philosophische Analyse der Rätsel der christlichen Religion.

Feuerbach hat nicht wie David Friedrich Strauß im „Leben Jesu" den wissenschaftlichen Wert der Dogmen der christlichen Religion untersucht.

Er will nicht die Urkunden oder Konstitutionen des Christentums angreifen. Er fragt, welchen Ursprung, welchen Sinn, welchen Zweck, welche Bedeutung hat die Religion, und die christliche Religion.

Kant sah die Moral hinter den christlichen Dogmen. Hegel erklärte die Religion als absolutes Wissen in der

Form der Vorstellung. Feuerbach erklärte die religiösen Vorstellungen durch Bedürfnisse des Gemüts. Die Religion sei ein Traum des Menschengeistes. Gott, Himmel, Seligkeit seien durch die Macht der Einbildungskraft verwirklichte Herzenswünsche. Gott sei das Wesen des Menschen, ins Unendliche gesteigert und als selbständig dem Menschen gegenübergestellt. Homo homini deus. Feuerbach schreibt: „Indem ich die Theologie zur Anthropologie erniedrigte, den Menschen zu Gott machte, freilich wieder zu einem dem Menschen entfernten transzendenten phantastischen Gott — nehme ich daher auch das Wort ‚Anthropologie‘, wie sich von selbst versteht, nicht im Sinne der Hegelschen oder bisherigen Philosophie überhaupt, sondern in einem unendlich höheren und allgemeineren Sinne. Die Religion ist der Traum des menschlichen Geistes, aber auch im Traum befinden wir uns nicht im Nichts oder im Himmel, sondern auf der Erde im Reich der Wirklichkeit."

Die Zensur verbot Arnold Ruges Rezension über das „Wesen des Christentums", also druckte sie Ruge mit anderen von der Zensur verbotenen Aufsätzen unter dem Titel „Anecdota zur neuesten deutschen Philosophie und Publizistik, herausgegeben von Arnold Ruge", 1843, in zwei Bänden, in der Schweiz.

Feuerbach habe die einzig mögliche Religionsphilosophie, indem er die religiösen Bedürfnisse selbst zum Gegenstand der Untersuchung gemacht und eine wirkliche Kritik der religiösen Unvernunft angestellt hat. Es sei eine notwendige Konsequenz der bisherigen Philosophie.

Karl Löwith schreibt in seinem Nachwort zu einer Neuausgabe vom „Wesen des Christentums" 1972 bei Reclam:

„Im Unterschied zur Religionskritik von Bruno Bauer und David Friedrich Strauß ist Feuerbachs ‚Wesen des Christentums‘ keine kritische Destruktion der christlichen Theologie und des Christentums, sondern ein Versuch, das Westentliche am Christentum zu erhalten, nämlich in der Form einer religiösen Anthropologie. Die Aufhebung des ‚theologischen Wesens‘ der Religion in ihr wahres, anthropologisches Wesen geschieht im Rückgang auf eben jene geistlose Form, welche Hegel als bloßes ‚Gefühl‘ persifliert hat. Gerade sie wollte Feuerbach als die wesentliche, weil unmittelbar-sinnliche wiederherstellen. Die Transzendenz der Religion beruht für ihn auf der immanenten Transzendenz des Gefühls: ‚Das Gefühl ist das menschliche Wesen der Religion‘.“ Feuerbach sagt: „Das Gefühl ist deine innigste und doch zugleich eine von dir unterschiedene, unabhängige Macht, es ist in dir über dir: Es ist dein eigenstes Wesen, das dich aber als und wie ein anderes Wesen ergreift, kurz dein Gott — wie willst du also von diesem Wesen in dir noch ein anderes gegenständliches Wesen unterscheiden? Wie über dein Gefühl hinaus?“

Ich tadle Schleiermacher nicht deswegen“, sagt Feuerbach, „daß er die Religion zu einer Gefühlssache machte, sondern nur deswegen, daß er aus theologischer Befangenheit nicht dazu kam und kommen konnte, die notwendigen Konsequenzen seines Standpunktes zu ziehen, daß er nicht den Mut hatte, einzusehen, und einzugestehen, daß objektiv Gott selbst nichts anderes ist als das Wesen des Gefühls, wenn subjektiv das Gefühl die Hauptsache der Religion ist. Ich bin in dieser Beziehung so wenig gegen Schleiermacher, daß er mir vielmehr zur tatsächlichen Bestätigung meiner aus der Natur des Gefühls gefolgerten Behauptungen dient. Hegel ist eben deswegen nicht in das eigentümliche Wesen der Religion eingedrungen, weil er als abstrakter Denker nicht in das Wesen des Gefühls eingedrungen ist."

Feuerbach schreibt: „Die Religion, wenigstens die christliche, ist das Verhalten des Menschen zu sich selbst, oder richtiger: zu seinem Wesen, aber das Verhalten zu seinem Wesen als zu einem anderen Wesen. Das göttliche Wesen ist nichts anderes als das menschliche Wesen oder besser: das Wesen des Menschen, abgesondert von den Schranken des individuellen, d. h. wirklichen leiblichen Menschen, vergegenständlicht, das heißt angeschaut und verehrt als ein anderes, von ihm unterschiedenes, eigenes Wesen — alle Bestimmungen des göttlichen Wesens sind darum Bestimmungen des menschlichen Wesens."

Die schärfsten Kritiker Feuerbachs waren der Marburger Theologe Professor Julius Müller, Max Stirner, der Autor von „Der Einzige und sein Eigentum", der Literaturhistoriker Rudolf Haym mit seinem Essay „Feuerbach und die Philosophie, ein Beitrag zur Kritik beider".

Feuerbach entgegnete 1848 in der Zeitschrift „Die Epigonen". Schließlich notierte Karl Marx 1845 seine Einwände, die aber erst 1888 durch Friedrich Engels veröffentlicht wurden.

In seinem Tagebuch hatte Feuerbach geschrieben: „Wie einst von der Kirche, so muß sich jetzt der Geist vom Staate frei machen. Der bürgerliche Tod ist allein der Preis, um den Du Dir jetzt die Unsterblichkeit des Geistes erwerben kannst."

Am 30. Oktober 1843 schrieb ihm Karl Marx aus Kreuznach: „Hochverehrter Herr! Dr. Ruge hat Ihnen bei seiner Durchreise vor einigen Monaten unseren Plan, französisch-deutsche Jahrbücher zu edieren, mitgeteilt und zugleich Ihre Mitwirkung erbeten. Die Sache ist jetzt soweit abgemacht, daß Paris Druck- und Verlagsort ist, und das erste Monatsheft bis Ende November erscheinen soll. Ich glaube fast aus Ihrer Vorrede zur 2. Auflage des „Wesens des Christentums" schließen zu können, daß Sie mit einer ausführlichen Arbeit über Schelling beschäftigt sind, oder doch Manches über diesen Windbeutel in petto hätten. Sehen Sie, das wäre ein herrliches Debut . . . Sie sind gerade dazu der Mann, weil Sie der umgekehrte Schelling sind . . . Schelling ist daher Ihr antizipiertes Zerrbild . . . Ich halte Sie daher für den notwendigen, natürlichen, also durch Ihre Majestäten, die Natur und die Geschichte, berufene Gegner Schellings. Ihr Kampf mit ihm ist der Kampf der Imagination von der Philosophie mit der Philosophie selbst . . . Ganz der Ihrige. Dr. Marx."

Feuerbach schrieb an Marx ausführlich über Schelling. Der Brief wurde nicht publiziert.

1842 und 1843 traf Feuerbach auch mit Georg Herwegh und dessen Frau, mit Arnold Ruge und mit David Friedrich Strauß zusammen, und schon ab 1840—1846 mit der Familie Christian Kapp, in dessen Tochter Johanna Feuerbach sich verliebte, indes sie ihn leidenschaftlich liebte, und trotz seiner Frau heiraten wollte.

Feuerbach hatte 1841 eines seiner schärfsten Pamphlete gedruckt „Kritik der christlichen Medizin", 1842 „Notwendigkeit einer Reform der Philosophie" und „Vorläufige Thesen zur Reform der Philosophie" und 1843 „Grundsätze der Philosophie der Zukunft"; und es war

1841 Bruno Bauer mit „Die Posaune des jüngsten Gerichts über Hegel, den Atheisten und Antichristen" erschienen, 1842 Schelling mit „Philosophie der Mythologie und Offenbarung", 1843 „Entweder — Oder" von Kierkegaard und die „Kritik der Hegelschen Rechtsphilosopie" von Marx.

Malwida von Meysenbug, die Verfasserin der „Memoiren eines Idealisten", und Freundin von Richard Wagner und Nietzsche schrieb: „Feuerbach nannte, so schien es mir, zum ersten Mal die Dinge bei ihrem wahren Namen. Er vernichtete für immer die Idee einer anderen Offenbarung als derjenigen, welche sich in den großen Geistern und großen Herzen macht."

1848 nahm Feuerbach an der revolutionären Bewegung in Leipzig, Frankfurt und Heidelberg teil. Er hatte 1846 die Redaktion seiner Gesamtausgabe begonnen und publizierte zehn Bände bis 1860.

Aus Bruckberg schrieb er am 3. März 1848 an seinen Verleger Otto Wiegand: „Vive la République! Die französische Revolution hat auch in mir eine Revolution hervorgebracht. So bald ich kann, so bald ich hier alles in's Reine gebracht, gehe ich nach Paris, ohne Weib, ohne Kind, ohne Bücher, ohne —. Es ist übrigens keineswegs nur allein das in Paris aufgegangene Licht, das mich ins Leben und zwar ein neues Leben ruft, es sind auch zugleich höchst traurige Gründe, die Sie mit der Zeit erfahren werden, die mich von hier forttreiben. Aber wo soll ich mein Domizil aufschlagen? In einer deutschen Philisterstadt? Nimmermehr. Auf einem deutschen Dorf oder Paris. Das war immer mein Wahlspruch. So fordert es meine Ehre . . . Den Inhalt des Anfangs meines Briefes behalten Sie für sich. Ich habe dazu sehr gründliche Gründe. Aber still davon."

An Herders Sohn schrieb er Karfreitag 1848: „. . . Es ist jetzt keine Zeit für Philosophie, obgleich es gerade jetzt vor Allem gilt, seinen Kopf nicht zu verlieren. Wie traurig ist es, wenn Männer, wie Hecker, sich zu unbesonnenen und erfolglosen Handlungen hinreißen lassen! . . . Denke nur, der Ansbacher Volksausschuß hat die Kühnheit gehabt, zum Entsetzen aller dortigen Stadtphilister, mich als Deputierten nach Frankfurt vorzuschlagen. Auch die hiesigen und benachbarten Landgemeinden werden mich wahrscheinlich wählen. Sollte übrigens wirklich die Wahl mich treffen, so werde ich mich der strengsten Gewissensprüfung unterwerfen, ob ich sie annehmen kann und darf. Ich kann die konstitutionelle Monarchie nicht vertreten, wenn ich gleich auch für ihre Abschaffung in dem gegenwärtigen Zeitpunkt nicht sein kann. Hier entscheiden nur Handlungen, nur Ereignisse."

An seine Frau schrieb er am 3. April 1848 aus Leipzig: „Ich war gestern in zwei Gesellschaften von den entgegengesetzten, die Zeit bewegenden Grundsätzen: Republikanern, Demokraten, entschiedenen Revolutionsmännern und sogenannten Philistern, Bourgeois, d. h. Leuten, die zwar Pressefreiheit, Volksfreiheit, usw. wollen, aber doch noch, wenn auch nicht an dem Königstum, doch an den Königen festhalten . . . Der fünfte Band (Leibnitz) ist bereits erschienen . . . wir leben in einer Zeit der Krise, der Neugestaltung . . . Ich habe nichts gegen Nürnberg (um hinzuziehn), außer daß für Lorchen aus Mangel an Garten und an Natur überhaupt in dem sandigen, trokkenen Nürnberg kein Platz ist . . . Die Universität in

Breslau hat wirklich nach den Zeitungen mich und Ruge berufen oder berufen wollen. Übrigens nehme ich keine Berufung im Sinne der alten Universitäten an. Freilich sind mit der Freiheit die alten Universitäten dem Wesen nach schon gestürzt ..."

An Otto Wiegand, seinen Verleger, schrieb er am 5. Juni 1848: „Wir stehen zwar erst am Anfang, die entscheidenden Fragen kommen erst zur Sprache; aber nach dem Geiste, der die große Mehrheit beseelt, ja schon nach der Genesis des Parlaments, dem Ort seiner Entstehung nach zu schließen, so wird sich das alte Parturiunt montes (es kreissen die Berge, und ein Mäuschen wird geboren) auch hier, aber leider nicht auf eine komische, sondern tragische Weise bestätigen. Der Majorität fehlt es nicht an Geist und Mut, aber an Einigkeit und praktischem Takt. Sie wird unterliegen, aber ihre Sache, jedoch nicht im und durch das Parlament, sondern außer demselben ... wird siegen ..."

An Otto Wiegand schrieb er aus Frankfurt a. M., den 22. Juni 1848: Ich will versuchen, ob ich hier in eine andre Art der Tätigkeit als meine bisherige komme. Mir ist die Redaktion oder doch Mitredaktion an einer neu zu gründenden republikanischen Zeitung angeboten. Sie werden mich zu einem solchen Geschäft zu gut oder zu ungeschickt halten. Aber der Mensch kann, was er muß ... Die Reaktion wirkt in der Tiefe Deutschlands, die Reformation oder Revolution, bis jetzt wenigstens, nur auf der Oberfläche ... Was Sie über die „Ultra"-Männer schreiben, mag ganz richtig sein. Übrigens „glühe" ich keineswegs für sie, sondern für die Sache, die ich streng von den Personen unterscheide. Seien sie aber auch wie sie wollen; sie haben einmal die Zukunft, die geschichtliche Notwendigkeit für sich. Der Einzige, welcher in der Nationalversammlung den Nagel auf den Kopf trifft, welchen gehört zu haben ich nicht bereue, sondern vielmehr mich freue, ist Robert Blum. Seine Rede bei der Frage von der Exekutionsgewalt war ein prachtvolles Gewitter . . .

An seine Frau schrieb er aus Frankfurt a. M., den 30. Juni 1848: „In der Augsburger Allgemeinen Zeitung soll, wie ich hier hörte — ich selbst las sie nicht — stehen, ich und Ronge hätten in einem Bierhause die betrunkene Menge haranguiert und republikanisieren wollen. Eine, was mich betrifft, schändliche Lüge! Ronge allerdings beging leider zu meinem und meiner Freunde größtem Ärger diese Taktlosigkeit; aber ich saß ganz versteckt unter Gebüsch, aus Mangel an Raum, nur im Gespräch mit meinem nächsten Nachbar begriffen . . . Es kann allerdings die Zeit kommen, wo ich an die Spitze trete. Aber jetzt ist der Augenblick noch nicht gekommen, wo ich aus meiner Obskurität, aus meinem Privatleben heraustrete. Der Übergang von meiner Einsamkeit in das öffentliche Leben wäre jetzt zu rasch. Ich will erst hören, erst sprechen, erst die Welt und die Menschen kennen lernen, ehe ich tätig auftrete."

An seine Frau schrieb er aus Frankfurt am 14. August 1848: „Gestern Vormittag, als ich eben an Heidenreich einen Brief schrieb, kamen zwei Abgeordnete der Heidelberger Studentenschaft zu mir und überreichten mir ein Schreiben, worin es unter anderem heißt: ‚In einer allgemeinen Versammlung vom 8. August wurde einstimmig von uns beschlossen, an Sie den dringenden Ruf der Einladung ergehen zu lassen, daß Sie, dem Wunsche von uns allen folgend, den Lehrstuhl der Philosophie an der hiesigen Universität besteigen möchten'... Habe ich auch nur hundert Zuhörer und verlange ein Honorar von einem Louisd'or, so habe ich meine tausend fl. Durch die Zeitungen wirst Du bereits erfahren haben, daß auch die Breslauer Studenten abermals und ernstlich mich verlangen." Und am 26. Oktober 1848: „Ich war gestern eben im Begriffe, ein Paket auf die Post zu tragen, als drei Studenten zu mir kamen, um mich im Namen ihrer Kommilitonen zu ersuchen, ihnen Vorlesungen über Religionsphilosophie zu halten ... so habe ich ... abermals Ja gesagt ..." Und am 10. Dezember 1848: „Der Ort, wo ich lese, ist das Rathaus ... (Die Universität gab kein Auditorium her!) Die Zahl der Zuhörer — 200 bis dritthalbhundert, die Zahl derer aber, die sich förmlich subkribiert haben, ist etwas über hundert ..." Am 12. Februar 1849 aus Heidelberg: „Um mit den Geldgeschichten zu beginnen, so x bemerke ich sogleich, daß ich bis jetzt für meine Vorlesungen 500 fl. ... eingenommen habe ... ist übrigens schon ein großer Teil für meinen hiesigen Lebensunterhalt aufgegangen. Auch gibt es unzählige Unglückliche, namentlich politisch Verfolgte, denen man Unterstützung reichen muß. So war erst unlängst wieder von Julius Fröbel an mich empfohlen ein österreichischer Kürassieroffizier bei mir, der in Wien zum Volk mit seinen Leuten übergegangen war, hierauf aber nach Ungarn ging und dort den Krieg mitmachte, aber mit seiner Schwadron in einen Fluß gedrängt wurde, wo er sich nur durch die Flucht auf deutsches Gebiet retten konnte. Ein Student, ein Zuhörer von mir, an den er auch empfohlen war, sammelte für ihn. Aber der Ertrag der Sammlung unter den

Studenten . . . war so gering, daß er nicht einmal so viel bekam, um in die Schweiz kommen zu können. Also mußte ich dies Defizit decken . . . Das führe ich nur als ein Beispiel an, welchen Ausgaben man hier ausgesetzt ist . . . Ich schreibe meine Vorlesungen vorher auf, d. h. ich schreibe ein neues Buch." Es erschien 1851 unter dem Titel „Das Wesen der Religion".

Am 8. März 1850 schrieb er an seinen Freund Friedrich Kapp: „Du würdest mir daher eine große Freundschaft erweisen, wenn Du Dich auch meinetwegen in Amerika umsähest . . . In Ermangelung einer Aussicht ins Jenseits, kann ich im Diesseits, im Jammertal der deutschen, ja europäischen Politik überhaupt, dadurch mich bei Leben und Verstand erhalten, daß ich die Gegenwart zu einem Gegenstand aristophanischen Gelächters, die Zukunft unter der Gestalt Amerikas zu einem Gegenstande meiner Phantasie und Hoffnung, die Vergangenheit der Menschheit, namentlich in Deutschland, Rom und Athen zum Gegenstand des Studiums mache . . . Nur in unausgesetzter geistiger Tätigkeit, kann ich es in dem Irren- und Schurkenhaus der europäischen Welt aushalten."

In seiner ersten Vorlesung in Heidelberg vor Studenten und Handwerkern sagte Feuerbach: „Wir leben in einer Zeit, wo es nicht, wie einst in Athen, nötig ist, ein Gesetz zu geben, daß jeder bei einem Aufstande Partei nehmen müsse . . . in einer Zeit, wo das politische Interesse alle anderen Interessen verschlingt . . . in einer Zeit, wo es sogar Pflicht ist — namentlich für uns unpolitische Deutsche — alles über der Politik zu vergessen . . . Die Religion, der Gegenstand dieser Vorlesungen, hängt nun allerdings mit der Politik aufs Innigste zusammen; aber unser hauptsächlichstes Interesse ist gegenwärtig nicht die theoretische, sondern praktische Politik. Wir wollen uns unmittelbar, handelnd an der Politik beteiligen; es fehlt uns die Ruhe, der Sinn, die Lust zum Lesen und Schreiben, zum Lehren und Lernen ... wir wollen jetzt politische Materialisten sein. Ich bin ... von Natur weniger zum Lehrer, als zum Denker, zum Forscher bestimmt ... mein Sinn ... interessiert sich für alles Menschliche... Ich bin ferner weder eine schreib- noch redselige Natur. Ich kann eigentlich nur reden und schreiben, wenn der Gegenstand mich in Affekt, in Begeisterung versetzt... Mein Geist ist daher allerdings ein aphoristischer, wie mir meine Kritiker vorwerfen ... aber ... ein aphoristischer Geist, weil ein kritischer ... Geist. Ich habe endlich ... zwölf volle Jahre in ländlicher Einsamkeit verlebt ... und habe darüber die Gabe der Rede verloren ... Die Zeit, in der ich der akademischen Laufbahn in meinem Geiste für immer Adieu sagte, und auf dem Lande lebte, war eine so schrecklich traurige und düstere Zeit, daß ein solcher Gedanke nimmer in mir aufkommen konnte. Es war dies jene Zeit, wo alle öffentlichen Verhältnisse so vergiftet und verpestet waren, daß man seine geistige Freiheit und Gesundheit nur dadurch wahren konnte, daß man auf jeden Staatsdienst, auf jede öffentliche Rolle, selbst die eines Privatdozenten verzichtete, wo alle Beförderungen zum Staatsdienst, alle obrigkeitlichen Erlaubnisse, selbst die Venia docendi, nur der Preis des politischen Servilismus und religiösen Obskurantismus war, wo nur das schriftliche wissenschaftliche Wort frei war; aber auch nur frei in einem höchst beschränkten Maß und nur frei, nicht aus Achtung vor der Wissenschaft, sondern vielmehr nur aus Geringschätzung wegen ihrer sei's nun wirklichen oder vermeintlichen Einflußlosigkeit und Gleichgültigkeit für das öffentliche Leben. Was war also in dieser Zeit zu tun, zumal wenn man sich bewußt war, dem herrschenden Regierungssystem entgegengesetzte Gedanken und Gesinnungen zu hegen, als daß man in die Einsamkeit sich zurückzog und des schriftlichen Worts bediente, als des einzigen Mittels, wodurch man sich, freilich auch mit Resignation und Selbstbeherrschung, der Impertinenz der despotischen Staatsgewalt entziehen konnte. Meine Schriften lassen sich unterscheiden in solche, welche die Philosophie überhaupt, und solche, welche insbesondere die Religion oder Religionsphilosophie zum Gegenstande haben . . . Ungeachtet dieses Unterschieds meiner Schriften haben aber alle streng genommen, nur Einen Zweck, Einen Willen und Gedanken, Ein Thema. Dieses Thema ist eben die Religion und Theologie und was damit zusammenhängt. Ich gehöre zu den Menschen, welche . . . ihr ganzes Leben hindurch nur einen Zweck im Auge haben . . . nur Eines lehren, nur über Eines schreiben, in der Überzeugung, daß nur diese Einheit die notwendige Bedingung ist, Etwas zu erschöpfen und in der Welt durchzusetzen."

Unter seinen Hörern in Heidelberg waren Jakob Moleschott, Hermann Hettner und Gottfried Keller. Dieser nennt ihn „diese gegenwärtig weitaus wichtigste historische Person der Philosophie."

Nach 1848 wurde Feuerbach verfemt. Sogar seine Freunde besprachen seine Bücher nicht mehr. Es war, als schriebe er sie nur für sich. Schon 1843 schrieb er an seinen Verleger, es wurde bei ihm „von Rechts wegen eingebrochen; man suchte bei mir, dem Einsiedler, dem Gelehrten, dem Denker, nach Briefen von — risum teneatis, amici! — Studenten, nach Auskunft über Studentenverbindungen. Armes Deutschland, muß ich abermals ausrufen, selbst dein einziges Gut, deine wissenschaftliche Ehre, will man dir nehmen! Kann man denn einem notorisch wissenschaftlichen Mann, einem Mann, der seit Jahren in völliger Abgeschlossenheit von der Welt mit einem neuen Prinzip der Philosophie schwanger geht, eine größere Injurie antun, als wenn man ihn in das Dunkel geheimer Verbindungen hineinzieht? — Was werden wir noch alles erleben?"

Im Juni 1851 fahndete man im Schloß Bruckberg nach „Demagogen". Im selben Jahr wurde er aus Leipzig ausgewiesen, als gefährlicher Ausländer.

An Friedrich Kapp schrieb Feuerbach nach Amerika: „Europa ist ein Gefängnis . . . Ich wenigstens habe stets das Gefühl, eines Gefangenen, habe mich nie zu jenem heroischen Supranaturalismus emporschwingen können, der sich auch in Ketten frei fühlt."

1851 arbeitete Feuerbach am literarischen Nachlaß seines Vaters, den er 1852 bei Brockhaus herausgab. Auch dieses Buch ging ohne Widerhall unter. Im November 1852 starb seine Mutter. Von 1852—1856 arbeitete Feuerbach an seiner „Theogonie", die 1857 erschien und eine einzige Besprechung erhielt, von einem jungen Bewunderer Feuerbachs.

1860 erfolgte der Zusammenbruch der Ziegelei und Porzellanfabrik in Bruckberg, das bedeutete auch den finanziellen Zusammenbruch Feuerbachs. Er mußte Bruckberg verlassen und konnte den Umzug nach dem Rechenberg, östlich von Nürnberg in ein Sommerhaus der Familie Beheim nur durch eine Geldspende seiner Freunde schaffen, die Otto Lüning organisiert hatte.

In seinen „Aufzeichnungen" schrieb Feuerbach: „Ich habe viel Gift in Bruckberg verschluckt, viel entbehrt, viel schmerzlich vermißt, aber doch im Ganzen ein glückliches und schönes Leben dort verlebt, meinen Hauptwunsch dort erreicht, wenn auch nur in ländlich beschränkter Weise." Im Tagebuch schrieb er: „Bruckberg war bei meinen beschränkten Mitteln die Basis meiner Ökonomie, aber die Ökonomie ist die Basis der Philosophie und Moral . . . Meine Scheidung von Bruckberg ist eine Scheidung der Seele vom Leibe."

Als Feuerbach Bruckberg verlassen hatte, kaufte die bayerische Regierung das Schloß und richtete dort eine Anstalt für jugendliche Verbrecher und Taugenichtse ein, Inspektor dieser Anstalt wurde ein pietistischer Geistlicher.

Es fiel dem armen Feuerbach sehr schwer, sich in die neue eingeengte Wohnung einzugewöhnen. Sein Arbeitszimmer, eine Dachkammer, war nicht zu heizen, im Winter hatte es manchmal 5-6 Grad unter Null, auch der Salon war nicht zu heizen. Der Lärm der Hunde, Rinder und der Pferdewagen auf der Landstraße nach Hersbruck, schien ihm schier unerträglich. Er wohnte im ersten Stock, 12 Jahre lebte er in diesem menschenleeren Dorf am Rechenberg. Die Bauernküche des Beheimschen Gutsverwalters war unter seinem Fenster, der Hofhund bellte immer.

Feuerbach hatte kein Geld. Die Schillerstiftung gab ihm, auf drei Jahre verteilt, ein Ehrengeschenk von 900

Talern. Karl Grün überreichte ihm 1871 eine Ehrengabe von Wiener Spendern, die Grün angeregt hatte.

Feuerbach schrieb: „In Nürnberg war ich vom ersten Augenblick an, als ich verhängnisvollerweise dorthin verschlagen worden war, verstimmt, versprengt, entfremdet, meinem Wesen und Benehmen nach. Mit der Ruhe des Landlebens habe ich auch die Gemütsruhe verloren. Der Ort ist freilich gleichgültig, wenn man das Vermögen hat, sich einen Ort zu wählen, der den Bedingungen des Geistes entspricht. Je oberflächlicher der Mensch, desto mehr glaubt er, daß er immer und überall das tun könnte, was man doch nur an diesem Ort und in dieser Zeit tun kann. Es ist ein vernichtendes Bewußtsein, nichts zu sein, weil man nichts vermag und nur deswegen nichts zu vermögen, weil man eben nichts hat. Ich bin allerdings nur sehr wenig — wenigstens für die Welt, aber nur, weil ich sehr wenig habe. Gebt mir mehr, und ich bin mehr. Wer kein Vermögen hat, hat keinen Willen."

Und er schrieb: „Wo du vor Hunger, vor Elend keinen Stoff am Leibe hast, da hast du auch in deinem Kopfe, in deinem Sinne und Herzen keinen Stoff zur Moral."

Und: „Wo die eigentliche Armut, wo die Not beginnt, wo der Glückseligkeitstrieb so heruntergesunken, daß er sich nur auf die Befriedigung der Nahrungsbedürfnisse, auf Stillung des Hungers beschränkt, da schweigt auch der kategorische Imperativ des sittlichen Gewissens. Not kennt kein Gebot. Von 100 Straßendirnen Londons lese ich in einem Exzerpt aus der Beilage der „Allgemeinen Zeitung" von 1858 sind erwiesenermaßen 99 Opfer der Not."

Feuerbach sagte: „Ja, ich möchte lieber den Spaten führen, als die Feder für dies undankbare Geschlecht."

Einige seiner Schriften wurden noch zu seinen Lebzeiten übersetzt, ins Französische, ins Englische (durch Mary-Ann Evans), (1854 „Wesen des Christentums) ins Italienische, Spanische, Russische.

1864, nach seinem 60. Geburtstag, besuchte er Berlin und ging mit seinem jungen Anhänger Benedek durch Berlin und erzählte ihm, wie er als Student oft in die Dreifaltigkeitskirche gegangen war, um Schleiermacher predigen zu hören. „Der kleine, in der Schulter halbschiefe Mann, ragte aus der Kanzel kaum hervor. Er verlas ein kurzes Textwort, hob dann mit Betrachtungen an, deren Tiefe und Gewalt mit jedem neuen Satz sich steigerte. Da war nichts Gemachtes, nichts Auswendiggelerntes, nichts Salbungsvolles, man merkte es dem Manne an, wie logisch scharf und rednerisch schön er von Gedanken zu Gedanken kam . . . er reihte Glied an Glied mit dem Geschick eines Demosthenes und man sah, wie meisterhaft der Kunstbau seines Vortrags vor dem Bürger aufstand: Ein Mystiker, der Pantheist ist, hier wilder Spinoza, da Plato und Paulus in einer und derselben Ideenreihe. Nichts von Überredung, sondern nur die vollste Überzeugung sprach aus ihm, Probleme lösend und Probleme schaffend, um sie dem eigenen Nachdenken der Hörer zu überlassen. Um dieses Erlebnisses willen ist mir Berlin unvergeßlich, und dieser Ort hier, wo wir stehen eine geheiligte Stätte."

Ecke Charlotten- und Französische Straße, im Weinrestaurant von Lutter und Wegner sei er einst mit Hegel gewesen.

Noch anfangs Juni 1870 schrieb er an seinen schwedischen Freund Bolin: „Kurz die Emanzipation des Weibes ist eine Sache und Frage der allgemeinen Gerechtigkeit

und Gleichheit, die jetzt die Menschheit anstrebt, eine Be-
strebung, deren sie sich rühmt, aber vergeblich, wenn sie
davon das Weib ausschließt."

Er arbeitete lange fort, wenn auch unter sehr erschwer-
ten äußeren Umständen. 1866 erschien „Gott, Freiheit,
Unsterblichkeit. 1868 vollendete er die „Moralphiloso-
phie".

1866 erlitt er einen leichten Schlaganfall, mit 62 Jahren,
1867 litt er gänzliche Appetitlosigkeit, Schwindel, Übel-
keit, Erbrechen, im Juni 1870 ein neuer Schlaganfall. Vom
März bis Mitte Juli 1872 war er krank im Bett. Am
5. September eine leichte Erkältung, daraus eine Lungen-
entzündung wurde. Am 13. September 1872, starb er, des
Morgens. Auf dem Johannisfriedhof, wo Dürer, Hans
Sachs, Pirckheimer begraben sind, wurde Feuerbach begraben. Seine Frau Bertha überlebte ihn elf Jahre lang.

Feuerbach war ein Jahr vor seinem Tode Mitglied der
Sozialdemokratischen Partei in Nürnberg geworden. Tausende begleiteten ihn auf dem letzten Weg.

Feuerbach schrieb in „Grundsätze der Philosophie",
1843/1844: „Was mein Prinzip ist: ego und alter ego-
„Egoismus" und Kommunismus, denn beide sind so unzer-
trennlich als Kopf und Herz. Ohne Egoismus hast du
keinen Kopf und ohne Kommunismus hast du kein
Herz . . . Deine erste Pflicht ist, dich selbst glücklich zu
machen. Bist du glücklich, so machst du auch andere
glücklich. Der Glückliche kann nur Glückliche um sich
sehen . . . Die Philosophie zur Sache der Menschheit zu
machen, das war mein erstes Bestreben; aber wer einmal
diesen Weg einschlägt, kommt notwendig zuletzt dahin,
den Menschen zur Sache der Philosophie zu machen und

die Philosophie selbst aufzuheben; denn sie wird nur dadurch Sache der Menschheit, daß sie eben aufhört, Philosophie zu sein."

Heinrich Mann und Thomas Mann
par nobile fratrum

Das Leben und die Taten der Dichter erscheinen reicher, weil in ihrem Gefolge ihre Figuren auftreten.

Wenn große Schriftsteller sprechen, glaubt man die Stimme ihres Zeitalters zu hören. Sie wirken als Repräsentanten.

Nahe von Rom sind die Ruinen einer ganzen Hafenstadt aus dem Altertum stehengeblieben, aber aus Plautus und Horaz erfahren wir mehr vom Leben der alten Römer als aus den Resten der Tempel und Theater, Wasserleitungen, Weintavernen, Wohnhäuser und Wandmalereien, Palästen und Palästren, Geräten und Gerippen von Ostia Antica.

Der Anspruch auf Repräsentanz ist immer willkürlich. Wie in der Liebe wird gerne gewählt, wer sich bewirbt.

Die „Republik von Weimar" währte, nach dem geheulten Wort ihres Volkstribunen, nur „vierzehn Jahre der Schmach". Trotz der Niederlage, Okkupation und Revolution, Inflation und Depression, trotz Fememördern und Schwarzer Reichswehr, trotz der Verarmung des Mittelstandes, der Verwilderung des Kleinbürgertums, der Arbeitslosigkeit von Millionen Arbeitern und Angestellten, und trotz dem nicht unverschuldeten Erbe, dem „Dritten Reich", mit dem materiellen und moralischen Bankrott Deutschlands, trotzdem waren diese vierzehn Jahre kulturell glänzende Jahre der Deutschen.

Man kann eine Galerie ihrer „Repräsentanten" bilden, von Volksfreunden bis Volksfeinden, Politiker wie Friedrich Ebert und Paul Hindenburg, Walther Rathenau und Gustav Stresemann, Physiker wie Albert Einstein, Max Planck, James Franck und Werner Heisenberg, die Bauhauskünstler von Gropius bis Paul Klee, Theaterdichter wie Gerhart Hauptmann, Hugo von Hofmannsthal, Carl Sternheim, Ernst Toller, Bert Brecht und Carl Zuckmayer, Theaterdirektoren wie Max Reinhardt und Erwin Piscator, Komponisten wie Richard Strauss, Paul Hindemith und Arnold Schoenberg, Karikaturisten wie Thomas Theodor Heine und George Grosz, Philosophen wie Edmund Husserl, Karl Jaspers, oder Oswald Spengler und Martin Heidegger, der Physiolog Otto Heinrich Warburg und der Pazifist Karl von Ossietzky, Maler wie Max Liebermann und Max Beckmann, Bildhauer wie Ernst Barlach und Lehmbruck, Lyriker wie Rainer Maria Rilke, Stefan George und Erich Kästner, Romanciers wie Heinrich Mann und Thomas Mann. Diese Figuren, zu denen man fünf- und zehnmal so viele nennen könnte, stehen hier nicht wegen ihrer wahren Bedeutung, sondern wegen ihrer damaligen Geltung.

In der Tat haben die Brüder Heinrich und Thomas Mann sich als Repräsentanten der Weimarer Republik gesehen und es ausgesprochen. Freilich repräsentieren beide viel mehr, in einem achtzigjährigen Leben. Beide hatten 1918 schon ein bedeutendes Werk geleistet. Zur Zeit des

Dritten Reiches gehörten sie zu den Gegen-Repräsentanten Deutschlands im Exil. Sie haben noch nach dem Zweiten Weltkrieg einige ihrer besten Bücher publiziert. Sie wurden Repräsentanten gewisser Welttendenzen, zwischen Demokratie und Kommunismus.

Es hat in der Weltliteratur bedeutende Brüderpaare gegeben, wie die beiden Humboldt, Grimm, Schlegel, Goncourt. Aber nirgends erscheinen mir Verwandtes und Feindliches, Liebe und Haß, Verdienste und Exzesse so aufeinander und gegeneinander gewirkt zu haben, nirgends hat eine extreme Mischung dermaßen zu entgegengesetzten, aber bedeutenden Resultaten geführt, wie bei Heinrich und Thomas Mann. Man könnte keines ihrer Werke dem andern Bruder zuschreiben, und keinen ihrer Aussprüche. Doch hatten sie vieles gemeinsam, Herkunft, Familienschicksal, Erziehung, viele Wohnorte und Reisen. Sie hatten die soziale Sicherheit der meisten Bürgersöhne (wenn man vom letzten Jahrzehnt Heinrich Manns im amerikanischen Exil absieht). Sie hatten denselben Ehrgeiz. Mit demselben politischen Temperament hatten sie dieselbe Freude am literarischen Betrieb.

Sie kamen beide zu einem gesteigerten Realismus, sie schufen Mythen, sie zeigten eine ähnlich übermütige poetische Laune, die Lust am Spiel mit der Sprache bis zum opernhaften Rausch und zur Parodie und zu jeder künstlerischen Ausschweifung. Sie waren Meister der Ironie und der Satire. Beiden geriet die reale Welt oft ins Phantastische. Sie zeigten dieselbe autobiographische Leidenschaft. Sie glänzten durch denselben aphoristischen Reichtum. Sie schrieben beide Familienromane, ja Romane der eigenen Familie, etwa „Buddenbrooks" und „Zwischen den Rassen", zwei Vorwitzige, erlangten sie rasch die Sprache der Weisheit und benutzten sie sogar für ihre gelegentlichen intellektuellen Eskapaden. Sie zeigten dieselbe Neugier am Sexuellen, beide schienen intellektuelle Erotiker. Sie trugen dieselbe Farbe der Vernunft in einem irrationalen Klima. Sie waren ebenso bedeutende Romanciers wie Essayisten. Beide versuchten sich im Drama, Heinrich Mann mit mehr Ausdauer und Glück. Beide erreichten Gipfel ihrer Kunst im literarischen Porträt und in der Novelle. Beide waren Skeptiker und zuweilen überraschend naiv. Diese kulturgläubigen Menschheitsoptimisten schrieben mehrfach Untergangsromane. Beide bewiesen eine aktive Güte. Geradezu aus humaner Hilfsbereitschaft wurden sie Satiriker.

Beide schrieben über ähnliche Themen. Der Konflikt zwischen Bürger und Künstler war auch ein Thema ihrer Zeitgenossen Gerhart Hauptmann, Rilke, Hofmansthal, Schnitzler. Die Brüder Mann schrieben über Wollust und Tod, Macht und Geist, „Untertan" und „Zivilisationsliterat", Aufstieg der Völker und Verfall der Familien, Kunst und Hochstapelei, Nation und Internationalismus, Krankheit und Vergeistigung. Zwei bürgerliche Bohemiens, hielten sie die Konflikte der Kunst für bürgerliche Konflikte. Aber in beider Werk wimmelt es von Scharlatanen, Hochstaplern, Selbstmördern, Abenteurern und grotesken Ideologen. Beide waren Individualisten mit sozialen Interessen und Tendenzen, mit einer vorsichtigen Neigung zu Massengesellschaften und Massenstoffen.

Beide schrieben, neben Geschichten von Individuen, Romane von Familien, Kollektiven und Gruppen. Beide, die treffend übereinander schrieben, im Guten wie im

Bösen, erläuterten sich und ihre Werke und waren meistens selber ihre scharfsinnigsten Kritiker und Kommentatoren. Beide begannen als Artisten und wurden Moralisten. Beide waren, jeder auf seine Weise, deutsche Patrioten und bekannten sich zum Übernationalen. Beide bewiesen ihre Liebe zum bessern Deutschland und wurden von den schlechtesten Deutschen, die nichts als ihren Chauvinismus haben, Feinde Deutschlands gescholten.

Sie hatten dieselben Hemmungen und das gleiche steife Wesen der Norddeutschen, die scheinbare Herzenskühle und intellektuelle Hitze. Beide zog es zum Süden, zuerst nach Süddeutschland und Italien, lange Jahre lebten sie gemeinsam in München oder in Rom und Palestrina, und im Alter in Kalifornien. Beide erst tschechische, dann amerikanische Bürger. Beide äußerten am Ende ihres Lebens Sympathien für die westlichen Demokratien, wo sie lebten, und für die Sowjet-Union und DDR, von denen sie hofiert wurden. Sie übten an beiden Gruppen eine optimistische Kritik. Beide waren religiöse Agnostiker. Von konservativer Herkunft, Haltung, Manier und Neigung, spielten sie mit der epischen Realität bis zur Auflösung und gingen politisch und literarisch bis zum Rand der Revolution.

Dennoch hatten sie grundverschiedene Lebensläufe und Charaktere, grundverschiedene Werke und Wirkungen. Sie hatten einmal die böseste Literaturfeindschaft, die es im 20. Jahrhundert zwischen zwei deutschen Literaten gab. Sie liebten einander und führten einen Bruderkrieg. Sie stellten zusammen das „andere Deutschland" dar und jeder für sich eine der beiden feindlichen Hälften von Deutschland. Ja, der Bruder wurde für den Bruder zum literarischen Gegenstand. Dieser Parallelismus der Brüder, diese gegenseitige Bespiegelung, von der scheinbaren Identität bis zum völligen Antagonismus, wirkten mit der philosophischen Stimmung des 19. Jahrhunderts zusammen, um ihren Dualismus zu einem Hauptmotiv ihrer Ideen, ihrer Werke, ihrer Politik zu machen. In seinem exzessiven Brief vom 3. Januar 1918 schreibt Thomas Mann an Heinrich Mann: „Laß die Tragödie unserer Brüderlichkeit sich vollenden . . . Daß mein Verhalten im Kriege „extrem" gewesen sei, ist eine Unwahrheit. Das Deine war es, und zwar bis zur vollständigen Abscheulichkeit . . . Mögest Du und mögen die Deinen mich einen Schmarotzer nennen. Die Wahrheit, meine Wahrheit ist, daß ich keiner bin . . ."

Thomas Mann schreibt über den berühmten Essay von Heinrich Mann, „Zola" (von 1915), in dem Thomas Mann ein Pamphlet gegen Thomas Mann sieht: „Daß Du nach den wahrhaft französischen Bösartigkeiten, Verleumdungen, Ehrabschneidereien dieses glanzvollen Machwerks, dessen zweiter Satz bereits ein unmenschlicher Exzeß war . . ."

Vielmehr kann man die „Betrachtungen eines Unpolitischen", eines der wenigen glänzenden Bücher des deutschen Chauvinismus, ein Pamphlet gegen den älteren Bruder Heinrich Mann heißen, gegen den leichtfüßigerern, genialeren, nobleren Bruder, der in diesem moralischen Bruderkrieg recht behält. Vier Jahre nach dem Erscheinen der „Betrachtungen eines Unpolitischen" im Herbst 1918, erschien Thomas Manns Essay „Von deutscher Republik", worin er sich für die Demokratie, für die Weimarer Republik und gegen jeden Nationalismus erklärte. 1950 sagte Thomas Mann in Chikago: „Bloße vier Jahre nach dem Erscheinen der „Betrachtungen" fand ich mich als Verteidiger der demokratischen Republik, dieses schwachen Geschöpfes der Niederlage, und als Anti-Nationalist, ohne daß ich irgendeines Bruches in meiner Existenz gewahr geworden wäre, ohne das leiseste Gefühl, daß ich irgend etwas abzuschwören gehabt hätte. Gerade das machte mir klar, daß ich nie etwas getan hatte — oder doch hatte tun wollen —, als die Humanität zu verteidigen. Ich werde nie etwas anderes tun." So eindeutig sieht er sich nun, als wäre er Heinrich und Thomas in einer Person. Seitdem folgte Thomas Mann politisch seinem älteren Bruder. Immer ein wenig später als sein Bruder kam Thomas Mann zu denselben Schlüssen mit größerem Gewicht, mit größerem Pomp, mit weiterer Wirkung.

Beide Brüder waren scharfsinnige Psychologen in ihren Romanen und Essays, keineswegs in ihrem privaten Leben oder in ihren politischen Äußerungen und Aktionen. Die Leidenschaft für die Wahrheit führte freilich Heinrich Mann zur Verknappung, zum Aphorismenstil der französischen Moralisten. Thomas Mann führte derselbe Wahrheitswille zur epischen Breite, zur vervielfachten Dialektik. Stilistisch erscheint es, als spräche Heinrich Mann die knappste Wahrheit aus, unbekümmert ob man ihn vielleicht mißverstehe, indes Thomas Mann um der Wirkung der Wahrheit willen schreibt, einer bis auf die feinste Nuance hin und her gewendeten und ausgebreiteten Wahrheit.

Heinrich Mann glaubt an Resultate der Wahrheit und schreibt in der Sprache der Weisheit. Jeder Satz scheint

267

die Frucht eines langen Lebens und von hundert Erfahrungen. Thomas dagegen glaubt an den Weg zur Wahrheit, im Sinne von Gotthold Ephraim Lessing, der sogar, wenn er von Gott die Wahrheit empfangen könnte, ihm sagte, laß mich lieber weiter die Wahrheit suchen. Thomas Mann scheint zu glauben, die Methode sei, um die Wahrheit zu finden, wichtiger, als das bloße Resultat, mindestens sei erst beides, die Methode und das Resultat zusammen die Wahrheit. Er will wohl heftiger als sein Bruder die unbedingte Wirkung, weil er weniger als jener an die Wahrheit ohne Wirkung glaubt.

Im übrigen wollen beide Brüder lieber die Wahrheit gestalten als aussprechen. Durch die Figuren ihrer Romane glauben sie der Wahrheit näher zu kommen. Beide Brüder sind große Erzähler, und häufig ohne Fabeln. Thomas Mann erwähnte im Oktober 1944 in „Atlantic Monthly" seine späte politische Reife und seine künstlerische Reife: „Denn im Alter von 23 Jahren schrieb ich ein Buch, das heute noch lebt und das vielleicht alles überleben mag, was ich später geschrieben habe . . .", nämlich den Roman „Buddenbrooks". Heinrich Mann hieß sein reifstes Werk seinen Roman „Henri Quatre", den er mit 67 Jahren beendet hat.

Thomas Mann kam also fertig an. Heinrich Mann hat sich langsam entwickelt. Thomas Mann, der Erbe des 19. Jahrhunderts, und Heinrich Mann, ein Prophet des 20. Jahrhunderts, haben beide den Anspruch erhoben, auch am Prozeß der Auflösung des Romans (wenn es ihn je gegeben hat?) mitgewirkt zu haben, wie Proust, Joyce, Musil, Kafka.

Heinrich wie Thomas Mann sind intuitive Artisten mit

kuriosen dilettantischen Zügen. Beide gingen in viele Schulen und machten Schule. Beide waren experimentelle Autoren, machten Experimente mit der Sprache, mit Stilen und Stoffen, und doch wirkte Thomas Mann konstant, als sei er immer derselbe, indes Heinrich Mann alle paar Jahre ein anderer schien. Es ist kein Zufall, daß zwei der besten Novellen von Thomas Mann „Unordnung und frühes Leid" und „Mario und der Zauberer" fast Romane, Heinrich Manns Meisternovelle „Dreiminutenroman" fast ein Aphorismus ist.

Thomas Mann schrieb: „In meinen jungen Tagen verdankte ich alles Mustern. Er ging bei norddeutschen Provinzautoren wie Storm und Fontane, bei dänischen Provinzautoren wie Jens Peter Jacobsen und Hermann Bang, und bei den großen Russen Tolstoi, Dostojewski, Tschechow zur Schule, und vorzüglich bei seinem älteren Bruder Heinrich Mann. Mit seinen skandinavischen und russischen Meistern teilte er die epische Breite, den Reichtum scharfer, insbesondere auch psychologischer Details, die er seltsam mit seiner genialisch verschränkten und aufs anmutigste verschachtelten Sprachfülle verband.

Diese Sprache gleicht einem riesigen Netz, das hunderterlei Lebendiges, Fische, Schaltiere, und andere Beute wie aus einem Meer herausholt, alles scheint aus großer Tiefe emporzutauchen, am Ende ist alles mit handwerklicher Präzision geordnet und an seinem gehörigen Platz. Wie durch die Fügung der ordnenden Natur ist es zum barocken Kunstwerk geworden, in streng geregelter Willkür.

Kurios ist die Figur von Thomas Mann, kurios seine Sprache. Sie ist unnachahmlich, wenn sie auch oft nachgeahmt wurde und zur Parodie einlud. Es ist eine wohlhabende, ja schwelgerisch rankende, biedermeierlich graziöse Sprache. Sie entlehnt ihre Bestandteile der Kanzlei und der Kanzel, Grimms Wörterbuch und den Dialekten, sowie den Mystikern, aus Goethe und Luthers Bibel. Meist umgibt sie sich wie mit einem Dickicht oder zieht sich zuweilen mäandrisch durch Irrgärten. Sie hat die Schärfe des Pamphletisten, die Eitelkeiten des Autobiographen, die Präzision des Pedanten, die Schwelgereien des verschämten Wollüstigen. Wie eine kluge Schlange kriecht sie durch viele Fachsprachen. Gravitätisch wie ein sekttrunkener Falstaff hüpft sie in einem Schling- und Wackeltanz über ganze Buchseiten, mit ihrem über hundert einzelne Sinneneindrücke und Zeilen hinüberlangenden Satzbau. Es ist eine abgewogene Mischung aus merkwürdigen Bildungsaperçus und präzisierten Lebenstrivialitäten. Diese Sprache ist reich an Subjektiven und Adjektiven, also episch langsam, eher schildernd als erzählend.

Sie schillert und erscheint vieldeutig, ja zweideutig wegen einer moralischen Bemühung um äußerste und nuancierte Präzision. Sie verkleidet die Erzählung essayistisch und macht den Essay zur Erzählung. Durch vorgegebene und zwischengestellte Chronistengestalten und Biographenfiguren, durch die Anwendung vieler älterer und erfundener Phantasieformen der Sprache wird sie zum Maskenball der Sprachen.

Diese Sprache erschiene wie eine völlige Manier, wenn sie nicht zuweilen mit einer graziösen Biegung oder einem poetischen Panthersprung diese Manier wie eine Hecke hinter sich ließe, um plötzlich im grammatikalisch behüteten Irrgarten der Zivilisation den jähen Ausblick auf die nackte Natur, den verborgenen Gott zu eröffnen.

Es ist eine ganz persönliche Sprache, die sozusagen für den Hausgebrauch in der Hausapotheke destilliert wurde. Aber sie reicht hin, um täuschend ähnlich wie der deutsche Spießer oder fast geistleer wie Gerhart Hauptmann alias Peeperkorn im Roman „Der Zauberberg" oder fast wie Goethe in Thomas Manns Roman „Lotte in Weimar" zu sprechen. Ägyptischen Göttern, Hochstaplern aller Sorten, wie seinem Felix Krull, oder dem Teufel und dem Genie, und gebildeten Knaben, wie seinem jungen Joseph, geht sie ganz natürlich von den blühenden Lippen. Sie schildert treffend den Schnee und die Liebe, Empfindungen der Götter und das Banale, Gefühle des Mannes mit dem vertauschten Kopf oder einer Lemure wie Hitler, etwa in Thomas Manns Aufsatz „Mein Bruder Hitler", oder Beethovens späte Klaviersonaten. Immer unverkennbar die Sprache von Thomas Mann, ist sie eines der originellen Abenteuer der deutschen Sprache. Das bekannte witzige Wort von Thomas Mann, „daß der Schriftsteller ein Mann ist, dem das Schreiben schwerer fällt als andern Leuten", gilt vielleicht nicht für ihn.

Dagegen hat Heinrich Mann seltener fremde Stile seinem Stil adaptiert und sich zu eigen gemacht, und wurde häufiger ein Vorläufer, ein Vater neuer Stile. Er selber ging bei Italienern und Franzosen zur Schule, bei Goldoni und Voltaire, und bei den französischen Moralisten, oder bei Choderlos de Laclos, Stendhal, Balzac, Flaubert und Emile Zola, auch bei Bourget und d'Annunzio, den er zwar abgeleugnet hat. Er berief sich lieber auf Puccini, etwa für den Roman „Die kleine Stadt", der in der Tat wie eine Oper in Worten gebaut ist. Wo Thomas Mann zeichnet, malt Heinrich Mann. Will Thomas Mann durch das Unendliche verdeutlichen, so will Heinrich Mann durch die Verknappung aufklären. Er hat einen geistblitzenden intuitiven genialischen Stil. Sein Stil ist voller Überraschungen, so verwegen wie gefährdet. Der Weg von Heinrich Mann führte von Zola zu Montaigne, Thomas Manns Weg von Fontane zu Lukian und Rabelais.

„Buddenbrooks" war ein Erfolg; denn in einem Jahr wurde die erste Auflage, ganze eintausend Exemplare, ausverkauft. Am 27. II. 1904 schrieb Thomas Mann an Heinrich: Buddenbrooks haben das 18te Tausend und auch die Novellen stehen nun vor dem 3ten. Ich muß mich erst in die neue Rolle als berühmter Mann einleben; es erhitzt doch sehr."

Heinrich Mann erzählt in seiner Autobiographie „Ein Zeitalter wird besichtigt" von 1945, daß seine ersten sechs Romane in 15 Jahren nicht mehr als 2000 Käufer insgesamt gefunden hätten.

Thomas Mann hatte einen langsamen, aber stetig wachsenden Erfolg, den sogar das Exil nicht aufzuhalten vermochte, ja erst im Exil wurde sein Ruhm zum Mythus, bis er im Alter manchen als „der größte lebende Dichter" galt. Vom Repräsentanten Deutschlands wurde er zum Repräsentanten der Weltliteratur. Er selber war eine mythische Figur geworden, wie Victor Hugo, wie Leo Tolstoi, wie Bernard Shaw. Seinen achtzigsten Geburtstag feierte die Welt. Und in seinem achtzigsten Jahr schrieb er zwei seiner besten Werke, den Versuch über Tschechow und den Versuch über Schiller.

Heinrich Mann war immer ein heimlicher König, wie es Helden der Opposition zusteht. Viele seiner Verleger waren seine Mäzene. Viel Geld verdiente er mit seinen Werken nur kurz nach der mißglückten deutschen Revolution nach 1918, in den Inflationsjahren, als das Geld nichts wert war. Nur in jenen Jahren war er populär und fand eine dreiviertel Million Buchkäufer. Das dauerte kaum „Die sieben Jahre", nach denen einer seiner Essaybände heißt. Er hatte einen politischen Ruhm, mit seinem Roman „Der Untertan", der zwei Monate vor dem Krieg 1914 beendet, erst 1918 nach der Revolution erscheinen konnte. Viele junge Dichter, insbesondere die Expressionisten, stellten ihn als literarischen Gegenkönig auf, gegen Thomas Mann. Aber schon Mitte der zwanziger Jahre war der Expressionismus erschöpft, und Heinrich Manns Popularität dahin. Er ward 1927, erst nachdem Thomas Mann kandidiert und verzichtet hatte, Präsident der Preußischen Dichterakademie, genauer Vorsitzender der Sektion für Dichtkunst. Aber die offiziellen Festreden der Republik hielten Gerhart Hauptmann, dessen politischer Grundsatz unter jedem Regime die Disponibilität war, wie er selber sagte: „Ich stelle mich zur Verfügung", und Fritz von Unruh, der ein pathetischer Pazifist war.

Als der zweite Weltkrieg kam, mußte Heinrich Mann verstummen. Er entkam nach Amerika und starb im achtzigsten Jahr, 1950, in Kalifornien. Er schrieb noch einen satirischen Roman „Lidice", gegen gewisse deutsche Greuel, und seine Autobiographie „Ein Zeitalter wird besichtigt", wo er mit gleicher Bewunderung, 1943, von de Gaulle, Churchill, Roosevelt und Stalin spricht.

Heinrich Mann schrieb: Wir haben nur unsere Vernunft". Und: „Kunst vor allem gibt es nicht ohne vernünftiges Denken." „Und: „Eine wirkliche Hilfe, um am Leben zu bleiben, trotz Gefühl und Gewissen, ist der

Zweifel." Er sagte: „Wesen ohne geistig-sittliche Verant-
wortung sind keine Menschen mehr." Und: „Mein eigenes
Dasein hängt ganz und gar davon ab, daß sittliche Bemühungen möglich sind."

Er zitierte Montaigne: „Toutes nos vocations sont
farcesques."

Alle unsere Berufungen sind possenhaft.

Dieser Polemiker, Skeptiker, Moralist ward von nichts
so sehr erschüttert wie von der ganz gewöhnlichen Güte
eines Menschen.

„Die Freunde, die man hat, kennzeichnen uns", sagte
Heinrich Mann. Thomas Mann erwiderte: „Unsere Freunde sind nicht unsere beste Seite."

Einige der größten deutschen Dichter sind fast unbe-
kannte Dichter geworden, nicht weil sie unzeitgemäß
waren, sondern weil sie boykottiert wurden, und der Boykott sich als bequem erwiesen hat. In Deutschland liebt
man heute den Heinrich Mann so wenig wie den Heinrich Heine. Man heißt diese großen deutschen Patrioten
antideutsch, weil sie aus Liebe zu ihrem Volk kritisch
waren. Aber Heinrich Mann war ein großer Dichter und
ein edler Mensch. Mit diesen beiden Qualitäten geht ein
Schriftsteller nicht so schnell unter, nicht einmal in einem
Volk, das seine Satiriker so wenig liebt, wie die Deutschen.

Auch Thomas Mann war ein großer Dichter und ein
edler Mensch. Nur war er im Grunde ein lebenslänglicher
Konservativer, viel extremer als sein Bruder Heinrich, der
lebenslängliche Rebell. Er war viel gefallsüchtiger als sein
Bruder, viel verletzlicher, viel ehrgeiziger, viel gefährde-
ter und gefährlicher, in aller Unschuld.

Sein Freund und Biograph Ferdinand Lion nannte ihn einen „Kunstbeamten." Thomas Mann sah sich im Alter als einen Parodisten, einen Superparodisten, der die Werke der Weltliteratur parodiert hat, und die eigenen Werke, die Kultur und die Sprache, ja die ganze lebendige Welt. Kunst war für Thomas Mann politische Parodie, für Heinrich Mann moralische Aufgabe.

Immer mit sich selber beschäftigt, als wäre er der Hauptstoff seines riesigen Werkes, schien Thomas Mann mit sich selber unbekannt zu sein, schien er sich immer zu verkennen. Der seinem eigenen Leben wie ein Politiker mit einer Partei umgegangen war, der alles seinem Werke untergeordnet hatte, sogar sein eigenes Leben, hatte wie wenige andere so berühmte und beanspruchte Dichter Zeit für viele gehabt, Interesse für viele und soviel Zeit und Kraft für die Epoche, die Politik, für die Wohlfahrt anderer hingegeben. Beide Brüder hatten, trotz allem Egoismus der Künstler, ihr halbes Leben und eine ganze Kraft humanen Zielen und Aktionen gewidmet.

Wie er zu seinen Riesenromanen unwillig aus kleinen Anlässen kommt, so geriet Thomas Mann auch in seine politischen Unternehmungen wie zufällig, mit Verspätung. Als das Dritte Reich begann, kam er schon mit ihm wegen eines gemeinsamen Lieblings, wegen Richard Wager, in schwere Konflikt. Er war, für Ferien, im Ausland und kam nicht zurück. Erst langsam begriff er, daß er im Exil lebte. Den Nationalsozialismus hatte er schon vor dem Dritten Reich heftig angegriffen, und tat es ebenso in Privatbriefen vom Ausland. Aber er schwieg öffentlich und ließ seine Werke weiter in Deutschland erscheinen, bis er erst 1937 in einem offenen Brief an die „Neue

Züricher Zeitung" das Dritte Reiche scharf kritisierte, worauf er sein Bonner Ehrendoktorat verlor, und seine Bücher in Deutschland verboten wurden. Dann erst, nach vielfacher persönlicher Kränkung, brach er öffentlich mit dem Dritten Reich. Der so objektiv scheint, war der Subjektivste. Er hat alles persönlich genommen, zuerst das Unrecht, das man ihm antat, dann das Unrecht, das man andern antat, das Unrecht an einer ganzen Welt, und alles vermengte sich, alles Unrecht gegen andere wurde zum Unrecht, das man ihm antat.

Thomas Mann hat von Hermes gesagt, er sei „ein milder Zauberer in aller Schläue". Auch Thomas Mann war es. Aber in seinem Zorn und Schmerz wurde er wie sein Bruder Heinrich Mann es von Anfang an gewesen war, zum Richter und öffentlichen Ankläger des irregegangenen Deutschlands. Thomas Mann sagte: „Ich erkenne Deutschland nicht mehr, ich zerreiße das Tischtuch zwischen mir und dem Ungeheuerlichen."

Er ist nicht nach Deutschland zurückgekehrt, nach dem Krieg, außer zu Vorträgen und Lesungen. Auch der offene Brief des Schriftstellers Walter von Molo rührte ihn nicht: „Es war eine dringende Aufforderung, nach Deutschland zurückzukehren und meinen Wohnsitz wieder unter dem Volk zu nehmen, dem meine Existenz längst so anstößig gewesen war, und das gegen die Behandlung, die ich von seinen Machthabern erfahren, nicht das Geringste zu erinnern gehabt hatte. ‚Kommen sie als ein guter Arzt . . .' Es lautete mir recht falsch . . ." schrieb Thomas Mann im „Roman eines Romans" und machte sich über die sogenannte „Innere Emigration" lustig.

Thomas Mann ist, einige Jahre nach dem Krieg, in die

Schweiz, nicht nach Deutschland zurückgegangen. Er hat versucht, im „Kalten Krieg" zu vermitteln, zwischen Amerika und Rußland, zwischen den beiden Deutschland, nicht als ein Kommunist, er war es nie, sondern als ein Freund des Friedens, als ein Humanist.

Er starb auf der Höhe seines Ruhmes, in der Schweiz. Er sagte zuvor: „In Wahrheit hatte ich nicht das Gefühl, fertig zu sein, nur weil das Wort ‚Ende' geschrieben war."